人生はもっとニャンとかなる!

Once Again, Life Works Itself Out.

明日にもっと幸福をまねく
68の方法

水野敬也+長沼直樹

私は数多くの賢人と猫について
学んだが、猫の知恵は
賢人の知恵よりはるかにまさっている。

イポリット・テーヌ

はじめに

猫は、多くの人間から家族の一員やパートナーとして愛されている動物です。その理由は、単に見た目や行動が可愛いからだけではなく、ときに思いもよらないことを教えてくれたり、疲れや悲しみを癒してくれる存在だからです。そして本書に登場する68の猫たちも、まるで生きている猫のように私たちを癒し、人生で大切なことを教えてくれます。

悩んだらひとっ風呂
Just take a shower when you're stressed out.

◀表面

猫たちが教えてくれる

「大切なこと」

裏面▶

猫たちが教えてくれる「大切なこと」を、

より深く理解したい人は

裏面を見てください。

裏面には、「大切なこと」に関わる

「偉人エピソード」と

「偉人たちの名言」が載っています。

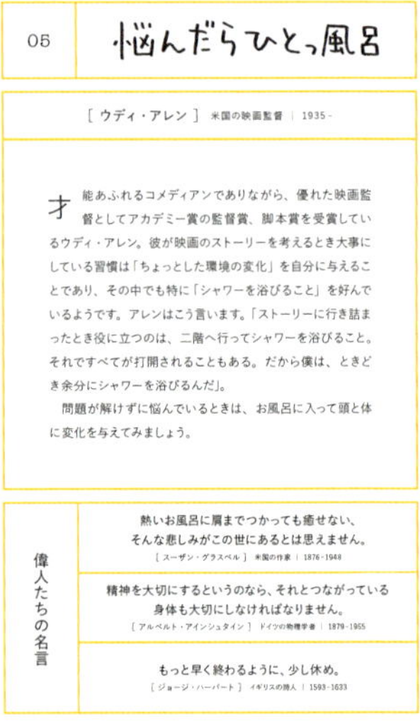

05 悩んだらひとっ風呂

［ ウディ・アレン ］ 米国の映画監督 ｜ 1935-

才能あふれるコメディアンでありながら、優れた映画監督としてアカデミー賞の監督賞、脚本賞を受賞しているウディ・アレン。彼が映画のストーリーを考えるとき大事にしている習慣は「ちょっとした環境の変化」を自分に与えることであり、その中でも特に「シャワーを浴びること」を好んでいるようです。アレンはこう言います。「ストーリーに行き詰まったとき役に立つのは、二階へ行ってシャワーを浴びること。それですべてが打開されることもある。だから僕は、ときどき余分にシャワーを浴びるんだ」。

　問題が解けずに悩んでいるときは、お風呂に入って頭と体に変化を与えてみましょう。

偉人たちの名言

熱いお風呂に肩までつかっても癒せない、
そんな悲しみがこの世にあるとは思えません。
［ スーザン・グラスペル ］ 米国の作家 ｜ 1876-1948

精神を大切にするというのなら、それとつながっている
身体も大切にしなければなりません。
［ アルベルト・アインシュタイン ］ ドイツの物理学者 ｜ 1879-1955

もっと早く終わるように、少し休め。
［ ジョージ・ハーバート ］ イギリスの詩人 ｜ 1593-1633

本書はもちろん普通の本としてもお楽しみいただけますが、すべてのページが切り離せる作りになっています。

お気に入りのページを、好きな場所に貼ったり、家族や友人にあげることもできます。

家族や友人に

いつも目に
つくところに

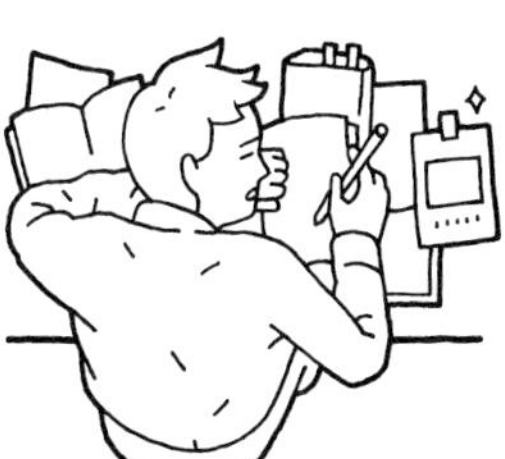

部下へのアドバイスとして

みんなの見えるところに

本書に登場する猫たちはいつもあなたのそばにいて、
人生に知恵と癒しを与えてくれることでしょう。

もくじ

68の猫は7つのカテゴリーに分けられており、それぞれのカテゴリーに関する「大切なこと」を教えてくれます。裏面の冒頭に数字がふってありますので、最初の「スタート」から読み始めたり、気になるカテゴリーに進んだり、自由な使い方でお楽しみください。

START

スタート

ありのままでいこう

Just be yourself.

01

ありのままでいこう

［ウィリアム・シェイクスピア］ イギリスの劇作家 ｜ 1564－1616

『ハムレット』、『ロミオとジュリエット』などで知られる演劇の巨匠・シェイクスピア。若い頃、苦しい生活を送っていた彼は、早い段階から老後のことを考えていました。そして彼は、名声を勝ち得たあとに悲惨な晩年を送った人たちについて調べ、そうならないための計画として、故郷に自分の土地を持ち、家を建て、劇場の株を買ったそうです。そして47歳になったとき、劇作家をやめて故郷に戻り、安らかな生活を始めました。

　周囲からの期待や批判に流されず、自分を幸せにするための人生を歩みましょう。

偉人たちの名言

他人の賞賛や非難など一切気にしない。
自分自身の感性に従うのみだ。

［モーツァルト］ オーストリアの作曲家 ｜ 1756－1791

成功とはただ一つ。
自分の人生を自分の流儀で過ごせることだ。

［クリストファー・モーリー］ 米国の作家 ｜ 1890－1957

偉大で幸福な人間とは、自分が自分であるために、
支配することも服従することもいらないという人間である。

［ゲーテ］ ドイツの劇作家 ｜ 1749－1832

人生に嫌なことを
やる時間はない

In life, you don't have time to do what you don't like.

02

人生に嫌なことをやる時間はない

［ 雪舟《せっしゅう》 ］ 室町時代の水墨画家 ｜ 1420－1506 頃

水墨画の大家として知られる雪舟は、子どものとき寺の小僧になりましたが、お経は少しも覚えようとはせず、ずっと絵を描いて遊んでいました。それを見かねた僧侶が雪舟に「今後、絵を描いてはいけない」ときつく言い渡しました。しかし、絵を描くことをやめなかったので、僧侶はお仕置きとして本堂にある柱に雪舟を縄で縛りつけました。雪舟は、悲しくて涙を落としましたが、思わずその涙を足の指につけてネズミの絵を描いてしまったのです。このネズミの絵は素晴らしい出来栄《ば》えで、本物のネズミと見間違うほどでした。それ以来、僧侶は雪舟が絵を描いても何も言わなくなったそうです。

人生という限られた時間は、好きなことをするために使いましょう。

偉人たちの名言

今から 20 年後、あなたはやったことよりもやらなかったことに失望する。ゆえに、舫《もや》い綱《づな》を解き放て。安全な港から船を出せ。

［ マーク・トウェイン ］ 米国の小説家 ｜ 1835-1910

人間の一生は誠にわずかの事なり。好いた事をして暮らすべきなり。
夢の間の世の中に、好かぬ事ばかりして、
苦しみて暮らすは愚かな事なり。

［ 山本常朝《じょうちょう》 ］ 江戸時代の武士・『葉隠《はがくれ》』作者 ｜ 1659-1719

自分のやりたいことをやらないで、他人から言われるままに生きた人で、
優れたこと、有用なことを成し遂げた人は、
今だかつて誰もいないのです。

［ フローレンス・ナイチンゲール ］ イギリスの看護教育学者 ｜ 1820-1910

照れずに
アピールしよう

Make yourself appealing by not being shy.

03 照れずにアピールしよう

［ レオナルド・ダ・ヴィンチ ］ イタリアの芸術家 ｜ 1452－1519

数々の分野で才能を開花させ、「万能の天才」と呼ばれたレオナルド・ダ・ヴィンチは、自分を売り込むことに労力を惜しまなかった人物でもあります。彼が30歳のときミラノ公に送った自己推薦《すいせん》状では、自分が軍事技術者として何ができるかを10項目にわたって述べ、さらに手紙の中で次のようにアピールしています。「平時におきましては、建築、公私の建物の構造、ある個所から別の個所へと水流を導くことを、誰にもひけをとらぬほど見事にやってのけることができると信じております。同様に、大理石やブロンズ、粘土で彫像を製作することもでき、絵の場合と同様、いっさい他人にひけをとることはありません」。

ただ採用されるのを待つのではなく、ときに、臆面《おくめん》もなくアピールすることが大切です。

偉人たちの名言

真の謙遜《けんそん》とは、私たちの能力や美徳を他人に隠したり、
あるいは自分を実際よりも悪くかつ平凡だと考えることではない。

［ レフ・トルストイ ］ ロシアの小説家 ｜ 1828－1910

黙っていたら「私はこれで満足しています」という意思表示に
なってしまうのが会社です。うるさがられても、
自分の欲しいものを手に入れたほうが、結局は勝ちなのです。

［ ベティ・L・ハラガン ］ 米国の作家・コンサルタント ｜ 1921－1998

己《おのれ》自身を低く評価するものは、他人からも低く評価される。

［ ウィリアム・ヘイズリット ］ イギリスの著作家 ｜ 1778－1830

そこをニャンとか!

Is there ANYTHING you can do to help ME-OW?

04

そこをニャンとか！

［ 葛飾北斎 ］ 江戸時代の浮世絵師 ｜ 1760－1849

『富《ふ》嶽《がく》三十六景』などの風景画だけでなく、現在の漫画のルーツともいえる『北斎漫画』で知られる、葛飾北斎。彼は浮世絵師として十分に活躍していましたが、お金に関しては無《む》頓着《とんちゃく》だったため、身なりはボロボロで粗末な家に住んでいました。そんな北斎が、旅先でお金に困り、取引のあった書店にお金を貸してほしいと願い出た借用証書が残っています。それはイラスト入りのストーリー仕立てになっており、必死に頭を下げる北斎が自分のことを「屁クサイ」と名乗り、笑いを誘いながらお願いしていました。彼は、原稿料の先払いを依頼するときも、こういった絵入りの書状で相手の心をうまく動かしていたようです。

　一筋縄でいかない相手には、ユーモアや愛嬌が功を奏《そう》する場合があります。

偉人たちの名言

人に頼む方法さえ身につけておけば、
人生を切り抜けられる。

［ ポール・オーファラ ］ 米国の実業家・キンコーズ創業者 ｜ 1947－

魅力とは、明瞭な質問をしなくても
イエスと言ってもらう方法である。

［ アルベール・カミュ ］ フランスの小説家 ｜ 1913－1960

望みなしと思われることもあえて行えば、
成ることしばしばあり。

［ ウィリアム・シェイクスピア ］ イギリスの劇作家 ｜ 1564－1616

悩んだらひとっ風呂

Just take a shower when you're stressed out.

05 悩んだらひとっ風呂

［ ウディ・アレン ］ 米国の映画監督 ｜ 1935－

才能あふれるコメディアンでありながら、優れた映画監督としてアカデミー賞の監督賞、脚本賞を受賞しているウディ・アレン。彼が映画のストーリーを考えるとき大事にしている習慣は「ちょっとした環境の変化」を自分に与えることであり、その中でも特に「シャワーを浴びること」を好んでいるようです。アレンはこう言います。「ストーリーに行き詰まったとき役に立つのは、二階へ行ってシャワーを浴びること。それですべてが打開されることもある。だから僕は、ときどき余分にシャワーを浴びるんだ」。

問題が解けずに悩んでいるときは、お風呂に入って頭と体に変化を与えてみましょう。

偉人たちの名言

熱いお風呂に肩までつかっても癒せない、
そんな悲しみがこの世にあるとは思えません。

［ スーザン・グラスペル ］ 米国の作家 ｜ 1876－1948

精神を大切にするというのなら、それとつながっている
身体も大切にしなければなりません。

［ アルベルト・アインシュタイン ］ ドイツの物理学者 ｜ 1879－1955

もっと早く終わるように、少し休め。

［ ジョージ・ハーバート ］ イギリスの詩人 ｜ 1593－1633

夢を宣言しよう

Declare your dream.

06

夢を宣言しよう

［ ブルース・リー ］ 香港の俳優・武道家 ｜ 1940－1973

映画史に残る偉大なアクションスターであったブルース・リーは、夢の内容を具体的に宣言していました。ニューヨークのレストラン「プラネット・ハリウッド」には、彼が自分宛てに書いた手紙が保管してあり、そこにはこう書かれてあります。「1980年までに私は全米一有名なアジア人俳優になり、1000万ドル（12億円）の資産を持つだろう。そのために私はカメラの前ではいつもベストの演技をし、幸せで調和に満ちた生活を送っているだろう」。その後、彼は多数の映画に主演し、手紙に書いたとおり、世界的なスターになりました。

夢を具体的に宣言することは、夢を現実にするための大切な一歩です。

偉人たちの名言

夢を語ろう、夢を実現するために。

［ ブルース・スプリングスティーン ］ 米国のロックシンガー ｜ 1949-

最初から、我々の目標は
「すべての机と、すべての家庭にコンピュータを」だった。

［ ビル・ゲイツ ］ マイクロソフト社創業者 ｜ 1955-

物件を見に行くためにシカゴの混み合った通りを歩きながら、
私はこう言った。「5年後ここにいる連中がみんな
スターバックスのコーヒーカップを手にして歩くようになる」。

［ ハワード・シュルツ ］ スターバックスコーポレーション最高経営責任者 ｜ 1953-

観戦より、参戦

Don't be an observer. Be a participant.

07

観戦より、参戦

[ガリレオ・ガリレイ] イタリアの天文学者 | 1564-1642

天文学者で、大の実験好きだったガリレオは、何事も自分の手でやってみなければ気が済まない性格でした。たとえばオランダのメガネ職人が、「遠くのものでも近くに見えるように工夫した道具」を作ったという話を小耳に挟むと、彼はその道具の仕組みを想像し、研究し、ついには「望遠鏡」を発明しました。また、あるとき、ピサの大聖堂の天井から吊るされたランプが揺れているのを見て、時間の計測に役立てられないものかと考え始めました。このとき彼は18歳でしたが、その50年後、振り子時計の実用化に成功したのです。

眺めて楽しむだけではなく、自ら作業に身を投じることで、新たな喜びが得られます。

偉人たちの名言

他人任せでは物事は好転しない。
「誰かが」ではなく、「まず自分が」という生き方を心がけたい。

[松下幸之助] 松下電器創業者 | 1894-1989

誰かが始めなくてはならない。見返りが一切なくても、
誰も認めてくれなくても、あなたから始めるのだ。

[アルフレッド・アドラー] オーストリアの精神科医 | 1870-1937

物事を考える人は大勢いるが、
行動を起こすのはたった一人だ。

[シャルル・ド・ゴール] 第18代フランス大統領 | 1890-1970

手が出ないなら
足を出せ

When one leg is not moving, use the other.

08

手が出ないなら足を出せ

［ 蟹江《かにえ》一太郎 ］ カゴメ創業者 ｜ 1875－1971

トマト加工業で有名な『カゴメ』を創業した蟹江一太郎。彼は「これからの日本に必要なのは西洋の野菜だ」と考え、トマト、キャベツ、レタス、パセリ、玉ねぎなどの種子を畑にまきました。これらの野菜の多くは好評でしたが、唯一トマトだけ、独特な匂いが嫌われて人気が出ませんでした。しかし蟹江はトマトをあきらめず、苦心の末に考え出したのが、トマトを煮て裏ごしし、ソースとケチャップを作って売ることでした。これが、大衆に馴染み始めた西洋料理に欠かせないものとして大ヒット商品となり、蟹江は『トマト王』と呼ばれるまでになったのです。

行き詰まったら、大胆な発想の転換をしてみましょう。想像もしなかった結果を生み出すことがあります。

偉人たちの名言

私たちの最大の弱点は諦《あきら》めることにある。成功するのに最も確実な方法は、常にもう一回だけ試してみることだ。

［ トーマス・エジソン ］ 米国の実業家・発明家 ｜ 1847－1931

行く手をふさがれたら、回り道で行けばいいのよ。

［ メアリー・ケイ・アッシュ ］ 米国の実業家 ｜ 1918－2001

万策尽きたと思うな。自ら断崖絶壁の淵《ふち》に立て。
その時はじめて新たなる風は必ず吹く。

［ 松下幸之助 ］ 松下電器創業者 ｜ 1894－1989

若さより、渋さ

More than youth, life's bitterness.

09

若さより、渋さ

[九代目 市川団十郎] 歌舞伎役者 | 1838-1903

九代目市川団十郎は、若いころは芸風が固く、柔らかみに欠け、大根役者だと言われていました。しかし、団十郎は従来のものではない、新たな歌舞伎の形を模索《もさく》していたのです。彼は「見物客に喜怒哀楽を起こさせるのは、台詞ではなく、顔と目である」と考えました。そこで、より顔をはっきりと見せるために白粉《おしろい》を薄く塗り、できるだけ動きを無くしていったのです。この渋い芸風が、のちに「肚芸《はらげい》」と呼ばれるリアリズム演技として認知され、彼の演技は今日の歌舞伎の基礎を作ったと言われています。

　年月をかけて修練することでしか、到達できない技能があります。

偉人たちの名言

老年は人生を翻弄《ほんろう》する欲を取り去ってくれる。
それこそが老境の素晴らしい賜物《たまもの》である。

[キケロ] 古代ローマの政治家 | BC106-43

20歳の顔は自然に与えられたもの。30歳の顔は生活が形づくるもの。50歳の顔は、あなたが手に入れるもの。

[ココ・シャネル] フランスのファッションデザイナー | 1883-1971

人生の黄金時代は老いて行く将来にあり、
過ぎ去った若年無知の時代にあらず。

[林語堂《りんごどう》] 中国の作家・言語学者 | 1895-1976

NO MORE 八方美人

Don't try to please everyone.

10 NO MORE八方美人

［ 湯川秀樹 ］ 理論物理学者 ｜ 1907－1981

ノーベル物理学賞を受賞した湯川秀樹は、子どものころ、読書好きで無口な少年でした。さらに、必要のないことは「言わん」と京都弁で宣言して黙ってしまうことから「イワン」というあだ名がついていたそうです。そんな性格だったので、粗暴で体の大きな先輩に目をつけられましたが、湯川少年はその先輩に媚《こ》びることはしませんでした。定期試験が近づいてくると、その先輩は数学が得意だった湯川少年にテストの予想問題を聞きに来たのですが、このときは立場が逆転し、湯川少年はまるで熟達した教授のように、先輩に対して数学を教えていたそうです。

自分の信じる道を進めば、周囲はおのずと認めてくれるものです。

偉人たちの名言

人がどう思おうと私はわたし。自分の道を行くだけよ。

［ オードリー・ヘップバーン ］ イギリスの女優 ｜ 1929−1993

人から批判されることを恐れてはならない。
それは成長の肥やしとなる。

［ トーマス・エジソン ］ 米国の実業家・発明家 ｜ 1847−1931

理不尽な上司や学校の先生に無理矢理認めてもらう必要はない。
市場価値の高い人になればいい。
より大きな共同体で考えればいいのだ。

［ アルフレッド・アドラー ］ オーストリアの精神科医 ｜ 1870−1937

そばにいるという愛情

The comfort of having a loved one just sit next to you.

11 そばにいるという愛情

[ジョン・レノン] イギリスのミュージシャン | 1940-1980

ジョン・レノンはビートルズを解散したあと、1975年から5年間、育児、掃除、洗濯などをする主夫をしていました。その間、ギターに触ることはほとんどなかったそうです。彼はバンド活動が忙しいあまり、前妻との間の子・ジュリアンの面倒を見られなかったことをずっと後悔していました。だから次男のショーンが生まれたときは、できるかぎりそばにいて育児をし、一緒に生活を楽しみたいと考えていたのです。ある年のクリスマス、ジョンの隣人がショーンに『イエロー・サブマリン』のビデオを見せたところ、ショーンは走って戻ってきてジョンにたずねたそうです。「パパはビートルズの一人だったの？」。

長い人生の中では、仕事よりも、大切な人のそばにいる時間を優先すべきときがあります。

偉人たちの名言

人類は太古の昔から、
帰りが遅いと心配してくれる人を必要としている。

[マーガレット・ミード] 米国の文化人類学者 | 1901-1978

愛する人と共に過ごした数時間、数日もしくは数年を
経験しない人は、幸福とはいかなるものであるかを知らない。

[スタンダール] フランスの小説家 | 1783-1842

大切なのは家族だ。家族が仲良く一緒にいることこそが
我々のビジネスの根幹であり、我々が望んでいることだ。

[ウォルト・ディズニー] ウォルト・ディズニー社創業者 | 1901-1966

WORK

仕事

必死で食らいつけ

Don't ever let go.

12

必死で食らいつけ

［ シルヴェスター・スタローン ］ 米国の俳優 | 1946-

シルヴェスター・スタローンは幼少期に言語障害を患《わずら》っており、そのことにずっとコンプレックスを抱いていました。また、俳優を志してからは苦労続きで、50回以上もオーディションに落ちたといいます。しかし、彼はスターになることをあきらめず、方法を模索し続けました。そんな折、ボクシングの試合を見て感動したことをきっかけに、彼は『ロッキー』の脚本を書き上げます。さらに“自分を主演にすること”を条件に映画会社に売り込みを始めたのです。最初は相手にされませんでしたが、ある映画会社が彼の情熱に打たれ、出資を決めました。当時を振り返ってスタローンはこう語っています。「もし俳優としてすぐに成功していたら、脚本を書こうなんて思わなかっただろう。私は失敗を通して、自分の問題を逆手に取る方法を発見したんだ」。

　あきらめずに様々な方法を試してみましょう。その姿勢と情熱は、必ず誰かを動かします。

偉人たちの名言

必死のときに発揮される力というものは、
人間の可能性を予想外に拡大するものである。

［ 本田宗一郎 ］ HONDA 創業者 | 1906-1991

手に入れる価値があると判断したら、
私はそれを手に入れるまで何度も何度も挑戦する。

［ トーマス・エジソン ］ 米国の実業家・発明家 | 1847-1931

チャンスなんて、そうたびたび巡ってくるものではないわ。
だから、いざ巡ってきたら、とにかく自分のものにすることよ。

［ オードリー・ヘップバーン ］ イギリスの女優 | 1929-1993

マークは徹底的に

Zoom in on the target.

13 マークは徹底的に

[リー・アイアコッカ] 米国の実業家 | 1924-

サラリーマンから社長に登りつめ、フォード・モーター社を繁栄させたことで有名なリー・アイアコッカ。彼は顧客を観察することを徹底した人物でした。あるとき、開発中の新車を一目見て「これはダメだ」と思ったアイアコッカは、購買力が伸びつつあった若年層の好みを徹底的に調査・研究、こうして生まれた「マスタング」は大ヒット商品となりました。また、CEO であるヘンリー・フォード２世のことを知ろうとしたアイアコッカは、彼とランチをしているとき「ここのハンバーガーがお気に入りだ」と聞くと、キッチンに行ってそのハンバーガーの作り方を直接シェフにたずねたといいます。

仕事の成果をあげるために、自分の商品を売り込む相手のことを、徹底的に観察してみましょう。

偉人たちの名言

もし私が価値ある発見をしたのであれば、それは才能ではなく、忍耐強く注意を払っていたことによるものだ。

[アイザック・ニュートン] イギリスの自然哲学者 | 1642-1727

問題は、大衆が何を求めているのかをどのようにして見極めるのかであり、私の答えは「常に普通の人たちのそばにいろ」ということだ。

[イングヴァル・カンプラード] イケア創業者 | 1926-

女性を口説こうと思った時、ライバルの男がバラの花を 10 本贈ったら、君は 15 本贈るかい？　そう思った時点で君の負けだ。ライバルが何をしようと関係ない。その女性が本当に何を望んでいるのかを、見極めることが重要なんだ。

[スティーブ・ジョブズ] アップル社創業者 | 1955-2011

どんな仕事も
なめない

Don't be halfhearted in any kind of work.

14 どんな仕事もなめない

[カーネル・サンダース] ケンタッキーフライドチキン創業者 | 1890－1980

世界初のフランチャイズビジネスを展開し、大成功を収めたカーネル・サンダース。彼は元々、ガソリンスタンドの経営者でした。ガソリンスタンドの経営は決して楽ではありませんでしたが、彼はスタンドに車が入ってくると飛んでいき、まず窓を洗い、次にボンネットをあけてラジエーターの水をチェックしてから「ガソリンは必要ですか？」と聞きました。汚れた車内を掃除するために、彼のズボンのポケットにはいつも小さな箒《ほうき》が差さっており、道をたずねに来ただけの人にも車を掃除したりタイヤの点検をしたといいます。新たな高速道路ができたことでこのガソリンスタンドは閉鎖に追い込まれますが、彼のこうした姿勢はフライドチキンのフランチャイズビジネスで発揮されていくことになりました。

どんなに些《さ》細《さい》な仕事でも、自分ができる最高のサービスを提供しましょう。

偉人たちの名言

最も偉大な人とは、日常の小さなことを軽蔑する人ではなくて、
それらの事柄を細心の注意をもって改善する人のことである。

[スマイルズ] イギリスの作家 | 1812-1904

品質とは、誰も見ていないときに
きちんとやることである。

[ヘンリー・フォード] フォード・モーター社創業者 | 1863-1947

些細なことだといって、ひとつ妥協したら、
将棋倒しにすべてがこわれてしまう。

[黒澤明] 映画監督 | 1910-1998

迷ったら
険《けわ》しい道を

When in doubt, take the challenging path.

15 迷ったら険《けわ》しい道を

［ レイチェル・カーソン ］ 米国の作家・生物学者 ｜ 1907-1964

自然の雄大さを描いた『われらをめぐる海』などですでに有名だったレイチェル・カーソンは、読者から一通の手紙を受け取りました。そこには、州当局が殺虫剤のDDTを空中散布したところ、鳥や無害な生き物たちが次々に死んでいったことが書かれていました。彼女は、この問題に取り組めば、化学薬品業界や政府寄りの科学者からバッシングを受けるのを分かっていましたが、美しい自然が破壊されるのを見過ごすことはできませんでした。こうして発表された『沈黙の春』は世界で初めて環境汚染問題を取り上げた作品となり、「環境保護運動を20年進めた」と言われています。

　多くの困難が待ち受ける道を行くことで、多くの人を幸せにすることができます。

偉人たちの名言

森の分かれ道では人の通らぬ道を選ぼう。
すべてが変わる。

［ ロバート・フロスト ］ 米国の詩人 ｜ 1874-1963

最短の道はたいていの場合、いちばん悪い道だ。だから最善の道を通りたければ、多少なりとも回り道をしなくてはならない。

［ フランシス・ベーコン ］ イギリスの哲学者 ｜ 1561-1626

簡単な道のほうが効果的で、早く成功できるかもしれない。険しい道を進むのは努力が必要であり道のりも長い。だが時が進むにつれ、最初簡単だった道はだんだんと難しくなり、険しかった道は徐々に容易になってくる。

［ カーネル・サンダース ］ ケンタッキーフライドチキン創業者 ｜ 1890-1980

守るより、見守ろう

Look outward, rather than overly protect.

16 守るより、見守ろう

［ 宮沢政《まさ》次郎 ］ 宮沢賢治の父 ｜ 1874－1957

宮沢賢治の父、政次郎は、先代から引き継いだ古着商と質屋を営んでおり経済的に裕福でした。しかし、強烈な慈悲心を持っていた長男の賢治は、そんな生活を恥じていました。あるとき、政次郎が質入れにきた貧しい農民と交渉しているのを見て、「欲しいだけ貸してあげればいいじゃないか」と父を非難したといいます。しかし、そんな賢治に対して政次郎は、自分の考えを押し付けることはしませんでした。「賢治は商売に向いてない。家は次男の清六に継がせよう」と考え、さらに賢治のやりたいことに関しては援助を惜しまなかったのです。この理解ある父親がいたからこそ、賢治は自分の考えに忠実に生き、美しい文学作品を残すことができたのでしょう。

　直接手を加えるよりも、見守ることが人の才能を伸ばすことがあります。

偉人たちの名言

人と交際する時に一番忘れてはならぬことは、
相手には相手なりの生き方があるのだから、相手の人生を
かき乱さないように、むやみに干渉しないことだ。

［ ヘンリー・ジェイムズ ］ イギリスの小説家 ｜ 1843-1916

部下に任せることが必要だ。そのうち部下は必ず
一人前になり、時には自分よりうまくなる。

［ 松下幸之助 ］ 松下電器創業者 ｜ 1894-1989

“ほんもの”の上司と部下は、互いを管理の苦痛から解放している。
すべてを把握し、すべてを支配するなんていう役割は放棄してね。

［ デイル・ドーテン ］ 米国の実業家・作家 ｜ 1950-

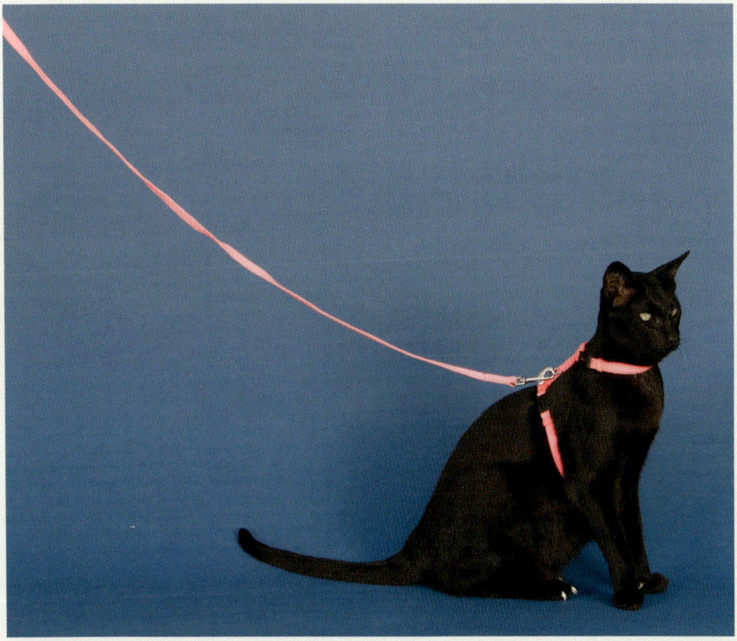

綱《つな》と思うか、
リボンと思うか。

A leash or a ribbon? You decide.

17	綱《つな》と思うか、リボンと思うか。

［ウォルター・スコット］ イギリスの詩人・作家 ｜ 1771-1832

イギリスのロマン主義作家として、海外でも人気を博したウォルター・スコット。彼は、法律事務所で文章を筆写するという雑用の仕事を長く続けていました。そして、スコットはこの経験が文学者としての自分を育てたと言っています。彼は、「われわれ文学者には、勤勉な態度というものがしばしば欠けているが、それを身につけることができたのは、退屈な事務所勤めのおかげだった」と語り、また退屈な仕事があったからこそ、それが終わったあとの執筆や読書に深い喜びを得たということです。

目の前の仕事に不満を感じたときは、その仕事が自分にとってどんなプラスの側面を持っているかを考えてみましょう。

偉人たちの名言

「働くこと、働かされること」を楽しまなければならない。
これはすべてのビジネスマンに言えることだ。

［レイ・クロック］ マクドナルドコーポレーション創業者 ｜ 1902-1984

幸福になる大きな秘訣は、外界の事物を自分に適応させようともがくよりも、自分を外界の事物に適応させることである。

［ジョン・スチュワート・ミル］ イギリスの経済学者 ｜ 1806-1873

制約が多いとみんな悩んでいる。だが、制約があるからこそ、自分のしたいことを貫くのが本当の行動になる。

［岡本太郎］ 芸術家 ｜ 1911-1996

営業スマイルの、その先へ

Let's try hard to show a genuine smile.

18 営業スマイルの、その先へ

[デール・カーネギー] 米国の著述家・講演家 | 1888-1955

今もなおビジネスマンから絶大な支持を受けている『人を動かす』の著者、デール・カーネギー。彼は著述家として成功する前は、優秀なセールスマンでした。いつも笑顔を絶やさず、ストーリーや逸話を使って熱心に話し、製品の魅力を相手に伝えたといいます。そして彼がビジネス講座を開いたときも、毎日誰かにクラスに顔を出すよう勧めていましたが、そのときも笑顔を絶やしませんでした。彼の著書にこんな言葉があります。「笑顔は一ドルの元手もいらないが、百万ドルの価値を生み出す」。こうして、彼の講座には数千人の生徒が集まるようになり、その中にはヘンリー・フォードやジョン・ロックフェラーなど、著名な実業家もいたということです。

笑顔の力を心から信じることで、多くの人を動かすことができます。

偉人たちの名言

人は笑い方でわかる。知らない人に初めて会って、その笑顔が気持ちよかったら、それはいい人間と思ってさしつかえない。

[ドストエフスキー] ロシアの小説家 | 1821-1881

みせかけの微笑を見せたり、心に仮面をかぶったりしない、真心のこもった、裸のままの親切には、人は決して抵抗できないものだ。

[マルクス・アウレリウス] 古代ローマの皇帝 | 121-180

敵か、それとも味方か。私が攻撃すれば、敵になる。
私がなんの恐れも抱かず、微笑してみせれば味方になる。

[アラン] フランスの哲学者 | 1868-1951

つまらない顔を
していると
つまらなくなる

A bored look makes you boring.

19

つまらない顔をしていると
つまらなくなる

[ジャック・マー] 中国の実業家 | 1964-

アップル、グーグル、マイクロソフトに次いで、世界第4位のIT企業となった「アリババ」の創業者ジャック・マー。彼は大学受験に三度失敗し、運転手、英語教師を経て、アメリカでインターネットに触れたのをきっかけにアリババを創業しました。彼は、大学で若者に向けたスピーチでこう言っています。「若者たちが『私たちはもうチャンスがない』と嘆《なげ》く気持ちは私にもよくわかります。でも私たちの世代だって、同じようなことをビル・ゲイツに対して思っていたのです。『あなたが先にマイクロソフトをつくってしまったから、私にはもうチャンスがないじゃないか』と。ところが、こんな風に他の人が諦めてしまったときが、逆にチャンスなのです」。

　チャンスがないと感じられるときこそ、顔を上げて行動を起こしましょう。

偉人たちの名言

楽しきと思うが楽しきの基《もと》なり。

[ドストエフスキー] ロシアの小説家 | 1821-1881

真剣に働いているからといって、いつもしかめっ面をしたり、
難しい顔をしている必要はないのだ。どんな仕事をする場合でも、
私たちは楽しくやりたいと考えている。

[サム・ウォルトン] 米国の実業家・ウォルマート創業者 | 1918-1992

決してうつむいてはいけない。頭はいつも上げていなさい。
目でしっかりとまっすぐ世界を見るのです。

[ヘレン・ケラー] 米国の社会福祉活動家 | 1880-1968

じっくり見れば、
見えてくる

Take a good hard look to truly understand.

20 じっくり見れば、見えてくる

[アレクサンダー・フレミング] イギリスの細菌学者 | 1881-1955

フレミングがロンドン大学の教授としてブドウ状球菌の研究をしていたある日、培養液を入れてあるシャーレの中でアオカビが繁殖しているのに気づきました。「カビの胞子がシャーレに落ちるのはよくあることなので、初めは気にもとめなかった」というフレミングですが、ふと顕微鏡でのぞいてみたくなったのです。そしてじっくり観察してみると、アオカビの周りの細菌が死んだり逃げ出したりしていました。これが抗生物質のペニシリンの発見につながったのです。フレミングは「私はたまたま細菌を殺すカビと、カビに殺される細菌に出会っただけです」と謙遜しましたが、普通の研究者なら洗い流してしまうところを興味を持って観察したからこそ、偉大な発見ができたと言えるでしょう。

先入観を持たずじっくり観察すれば、他の人が見落としている大事なものに気づくことができます。

偉人たちの名言

ある一つのことだけを集中して考えていると、それがきっかけでさらに深いところまで考えが及んでくる。そして最後には、懸案の問題に全身全霊をあげて取り組めるようになる。

[ヨハネス・ケプラー] ドイツの天文学者 | 1571-1630

私はものごとをとことん突き詰めるのが好きなんだ。そうすれば、たいてい良い結果が出るから。

[ビル・ゲイツ] マイクロソフト社創業者 | 1955-

予知するために予見する。予見するために観察する。

[オーギュスト・コント] フランスの社会学者 | 1798-1857

ツメが甘いのはダメ

Don't leave any loose ends.

21

ツメが甘いのはダメ

［ 二宮尊徳 ］ 江戸時代後期の農政家・思想家 ｜ 1787－1856

農政家として、江戸時代後期の農村を復興させた二宮尊徳。彼が、家族との食事中にたくあんを食べようとしたところ、下の皮まで切れておらずつながったままだったことがありました。そのたくあんを見て、尊徳はこう言いました。「たくあんを作るまでには様々な作業がある。漬物石をおろし、糠《ぬか》から大根を引き出し、糠を洗い、包丁で切る。しかし切るときの力が足りないと最後にはこうなってしまう。多くの人たちが最後の最後、力を抜く。だから成功できないのだ」。

どんな物事も、最後まで緊張感を持って臨むようにしましょう。

偉人たちの名言

第一歩は何でもない。
困難なのは、最後の一歩だ。

［ ヴィクトル・ユーゴー ］ フランスの詩人・小説家 ｜ 1802－1885

一方は「これで十分だ」と考えるが、
もう一方は「まだ足りないかもしれない」と考える。
そうしたいわば紙一枚の差が、大きな成果の違いを生む。

［ 松下幸之助 ］ 松下電器創業者 ｜ 1894－1989

完璧だと思っても、
もうひと押しすれば、おまけが手に入る。

［ トーマス・エジソン ］ 米国の実業家・発明家 ｜ 1847－1931

カラダより、
アタマをひねろう

Instead of twisting your body, twist your mind.

22　カラダより、アタマをひねろう

［ サマセット・モーム ］ イギリスの小説家 ｜ 1874－1965

『月と六ペンス』で人気作家になったモームですが、彼は本が売れなかった時期に、あることを思いつきました。それはロンドン中の新聞に「結婚相手を求む」という広告を出すことで、その広告には次の文章が続けられました。「私は、スポーツと音楽を好み、教養を備え、温和にして若さ十分の百万長者です。あらゆる点でサマセット・モームの最近の小説のヒロインとそっくりな、若くて美しい女性との結婚を望みます」。このユーモラスな広告で、モームの本はベストセラーになったと言われています。

柔軟な発想には、状況を大きく変える力があります。

偉人たちの名言

額に汗することをたたえるのもいいが、額に汗のない涼しい姿もたたえるべきであろう。怠けろというのではない。楽をする工夫をしろというのである。

［ 松下幸之助 ］ 松下電器創業者 ｜ 1894－1989

一人より十人の方が強いのは綱《つな》引きである。発想とは、一人の頭が、十人よりも強い力を出す技術を言う。

［ 土屋耕一 ］ コピーライター ｜ 1930－2009

一瞬のひらめきは、時に、生涯の経験に匹敵する。

［ オリバー・ウェンデル・ホームズ・シニア ］ 米国の作家・医学者 ｜ 1809－1894

わからないを、
ほっとかない

Don't ignore that which you do not know.

23	わからないを、ほっとかない

[トーマス・エジソン] 米国の実業家・発明家 | 1847 - 1931

「発明王」として今の世にも名が知られるエジソンは、子どものころ問題児だと言われていました。小学校で「1 + 1 = 2」と教えられても、「1個の粘土と1個の粘土を合わせたら大きな1個の粘土になるのに、なぜ2なの?」と質問して教師を困らせていました。こうした行動が度重なった結果、エジソンは小学校を退学することになり、代わりに母親のナンシーがエジソンに勉強を教えることになったのです。彼女には知識があったわけではありませんが、エジソンの「なぜ?」に対して一緒に考え、分からなければ答えを知っている人を一緒に探しました。この教育によって、疑問を突き詰める習慣を失わずに済んだエジソンは、のちに世界を変える数多くの発明をすることになったのです。

疑問を持ち、答えを探し続けることは、現状を大きく変えるきっかけになります。

偉人たちの名言

大切なのは、問うのをやめないことです。
好奇心は、それ自体で存在理由を持っているのです。
[アルベルト・アインシュタイン] ドイツの物理学者 | 1879-1955

私が知らないことについて無知であることを
告白するのを、私は恥としない。
[キケロ] 古代ローマの政治家 | BC106-43

発見を妨げる最大の障害は、無知ではなく、
知っていると錯覚することである。
[ダニエル・J・ブーアスティン] 米国の作家 | 1914-2004

探検したものが、
発見できる

Explore and you shall find.

24	探検したものが、発見できる

［ モーツァルト ］ オーストリアの作曲家 ｜ 1756－1791

偉大な作曲家であり、後世の音楽に影響を与え続けるモーツァルト。彼はその人生の三分の一を「旅」で過ごしました。モーツァルトの父が、彼を宮廷音楽家にするため売り込みの旅に出たのをきっかけに、北はイギリス、オランダから、南はアルプスを越えてイタリアのナポリまで、ヨーロッパ各地をくまなく旅することになったのです。彼はこの旅によってヨーロッパ中の音楽を吸収し、自分の曲を作り出していきました。彼はのちにこう語っています。「どれだけ優れた才能を持った人でも、もし同じ場所にいたら退化してしまうだろう」。

行ったことのない土地や環境に身を置き、新しいものを吸収し続けましょう。

偉人たちの名言

既知の世界から未知の世界に行かなければ、
人は何も知ることはできない。

［ クロード・ベルナール ］ フランスの生理学者 ｜ 1813－1878

チャンスをもたらしてくれるのは、冒険である。

［ ナポレオン・ボナパルト ］ フランスの軍人 ｜ 1769－1821

開拓精神によって自ら新しい世界に挑み、失敗、反省、勇気という
3つの道具を繰り返し使うことによってのみ、最後の成功という結果に
達することができると私は信じています。

［ 本田宗一郎 ］ HONDA 創業者 ｜ 1906－1991

お荷物になってない?

Are you just becoming a baggage now?

25 お荷物になってない？

［ 本田宗一郎 ］ HONDA 創業者 ｜ 1906－1991

［ 藤沢武夫 ］ HONDA 元副社長 ｜ 1910－1988

「技術の本田、経営の藤沢」として、二人三脚で HONDA を世界的企業に成長させた両者は、去り際の美しさでも知られています。1973 年、創業 25 周年のときに二人は社長と副社長をやめ、以後は会社の経営には口出ししませんでした。引退の理由は、本田が空冷式のエンジンにこだわるあまり、若手技術者との間に溝が生まれていたことだと言われています。すでに空冷式は時代遅れとなっており、水冷式が主流でした。下からの不満の声を受けた藤沢は、本田にそれを伝え、会社の未来のためにお互いに身を引くことにしたのです。本田は引退後、全国の HONDA の事業所を回り、一人ひとりに握手をしてお礼参りをしました。その期間は一年半にも及んだといいます。

自分のためではなく、組織のためのベストな行動を取りましょう。

偉人たちの名言

功成り名《な》遂《と》げて身を退《しりぞ》くは天の道なり。

［ 老子 ］ 古代中国の哲学者 ｜ 紀元前 6 世紀頃

定年の必要は実際のところ、年老いたということではない。
おもな理由は、若者たちに道をあけなければならないということにある。

［ ピーター・ドラッカー ］ オーストリアの経営学者 ｜ 1909–2005

私は男の人に小鳥の重さほどの負担もかけたいと
思ったことはないわ。

［ ココ・シャネル ］ フランスのファッションデザイナー ｜ 1883–1971

CHALLENGE

挑戦

戦う前から負けない

Don't lose before the fight.

26

戦う前から負けない

[ガイウス・ユリウス・カエサル] 古代ローマの政治家・軍人 | BC100 - 44

共和制ローマの絶対的な王者として君臨し、のちの帝政ローマを築いたカエサル。彼が民衆派として大神官職の選挙に立候補したとき、閥族《ばつぞく》派のスラに苦戦を強いられました。しかもこのとき、彼は莫大な借金を抱えていたのです。そのことを知ったスラは、多額の現金と引き換えに立候補を取りやめるようカエサルに働きかけましたが、彼はこう言いました。「確かに、金は欲しい。しかし金が欲しいのは、政治家として国を良くするためであり、自分の借財を無くすためではない。今度の選挙はいくら借金をしても、私は必ず勝ってみせよう」。そうしてカエサルは宣言どおり、大神官職の選挙に勝利したのです。

どれだけ不利な状況にあっても、志《こころざし》が負けていなければ勝利を手にすることができます。

偉人たちの名言

できると思えばできる、できないと思えばできない。
これは、ゆるぎない絶対的な法則である。

[パブロ・ピカソ] スペインの芸術家 | 1881-1973

強い心で立ち向かっていく人には、向こうのほうが逃げ出し、
降伏するのである。だから、断じて強気でいかねばならない。

[モンテーニュ] フランスの思想家 | 1533-1592

偉大な人物の伝記を読むと、
彼らが最初に勝利する相手は自分自身である。

[ハリー・トルーマン] 第33代米国大統領 | 1884-1972

可《か》愛《わい》いだけじゃ
生き残れない

Cuteness alone is not enough for survival.

27

可愛《かわい》いだけじゃ生き残れない

[森蘭丸《らんまる》] 安土桃山時代の武将 | 1565-1582

織田信長から寵愛《ちょうあい》され、忠実な性格と美しい容姿の持ち主だったと言われる森蘭丸。彼が信長にミカンを献上しようと、お盆の上に山のようにミカンを積み上げて運んだときの話です。蘭丸の姿を見た信長が「そんなに持つと転んでミカンを落とすぞ」と注意したのですが、案の定、蘭丸は転んでミカンを落とし、その姿を見て信長は笑いました。しかし、後から他の家来に「醜態だったぞ」と注意された蘭丸はこう言ったそうです。「殿様が転ぶとおっしゃったのだから、転ばなければ殿様のお見込み違いになる」。

愛される人は、無邪気な振る舞いの奥に冷静さを持っているものです。

偉人たちの名言

好かれようとしているだけなら、いつでも何でも妥協する用意があり、何も達成しないだろう。

[マーガレット・サッチャー] イギリスの政治家 | 1925-2013

記事に書かれるよりも、
私は強くて暗くて獰猛《どうもう》な女よ。

[アンジェリーナ・ジョリー] 米国の女優 | 1975-

蛇《へび》のように賢く、鳩《はと》のように純真であれ。

[「新約聖書」 マタイによる福音書]

綱《つな》渡りを楽しもう

Have fun when crossing a tightrope.

28 綱《つな》渡りを楽しもう

[ロナルド・レーガン]　第40代米国大統領 | 1911-2004

69歳で大統領に就任したロナルド・レーガン。彼は、大統領就任直後に散弾銃で撃たれるという事件に遭いましたが、車で病院に運ばれるときボディーガードにこうたずねました。「犯人が何に不満なのか、知ってる人はいるかい?」。さらに、手術室に運ばれたときは医師たちに向かって「ところで皆さんは共和党支持者ですか?（レーガンは共和党出身）」というジョークを飛ばしたそうです。生死の境をさまようギリギリの状況であっても周囲を楽しませる余裕を持っていたレーガンは、国民から愛され続けました。

どれだけ苦しい状況でも、それを楽しむ余裕を持つことで、自分と周囲を明るくすることができます。

偉人たちの名言

最高の収穫と最大の悦びを手に入れる秘訣とは、
冒険的な生き方をすることなのだ！

[フリードリヒ・ニーチェ]　ドイツの哲学者 | 1844-1900

いまはまたリスクが溢《あふ》れている。これはとてもいいことだ。
そのリスクを覗いて向こう側を見てみると、
なんだか大きく化けそうだと思えてくる。

[スティーブ・ジョブズ]　アップル社創業者 | 1955-2011

楽しんでやる苦労は、苦痛を癒すものである。

[ウィリアム・シェイクスピア]　イギリスの劇作家 | 1564-1616

目標には一直線

Create a straight path to the target.

29

目標には一直線

[スティーブ・ジョブズ] アップル社創業者 | 1955-2011

13歳のころ、エレクトロニクスへの強い好奇心を持っていたスティーブ・ジョブズ。彼は電子回路の周波数を測定するカウンターを作ろうと考えましたが、肝心の部品が不足していました。普通はこのようなとき、親に部品を買ってもらうか、もしくは作るのをあきらめるでしょう。しかし、ジョブズは電話帳をめくり、そこにヒューレット・パッカード（コンピュータ製品会社）の社長ビル・ヒューレットの名前を見つけると、いきなり電話をかけたのです。そして20分間も話したうえ、部品を送って欲しいと頼みました。その結果、部品を手に入れた上に、ビルから直接「夏休みにヒューレット・パッカードの製造ラインで組み立てのアルバイトをしないか」と声をかけてもらったのです。

回り道をせずまっすぐ目標に向かうことで、短期間のうちに大きな結果をもたらすことができます。

偉人たちの名言

成功の鍵は、的《まと》を見失わないことだ。自分が最も力を発揮できる範囲を見極め、そこに時間とエネルギーを集中することである。

[ビル・ゲイツ] マイクロソフト社創業者 | 1955-

攻撃目標一点に行動を集約せよ。むだな事はするな。

[織田信長] 戦国時代の武将 | 1534-1582

一事を成さんとしたら、本心一途にしたほうがよい。

[沢庵宗彭《たくあんそうほう》] 江戸時代の僧 | 1573-1646

ナメられたら
ナメかえせ

If you get slapped in the face, slap back.

30　ナメられたらナメかえせ

［ モハメド・アリ ］　米国のプロボクサー ｜ 1942-

ボクシングの神様であり、ベトナム反戦運動など「自由の象徴」としても称えられた英雄、モハメド・アリ。彼の強さの秘密は、その精神力にありました。アリの現役時代に詳しいスポーツライター、マイク・カッツはこう語っています。「多くのファイターは負けるとがっくりきてしまうが、アリは負けても決してくじけなかった。アリを倒した相手は3人いた。フレージャーはアリを倒したが、アリはカムバックしてフレージャーを二度倒した。ノートンもアリを倒したが、アリはカムバックしてノートンを二度倒した。スピンクスもアリを倒したが、アリは36歳でカムバックして、スピンクスを倒した。アリはやられるたびに、敗北から学び、さらに強くなってカムバックして、勝ったのだ」。

　どれだけ負けても、勝つための姿勢を失わなければ、成長し続けることができます。

偉人たちの名言

人間の人間たる価値は、敗北に直面していかにふるまうかにかかっている。敗北とは、決して屈服ではないのだ。

［ アーネスト・ヘミングウェイ ］　米国の小説家 ｜ 1899-1961

人間の最も悲惨な状態、
それは侮辱されることに慣れていくことである。

［ 貝原益軒《かいばらえきけん》 ］　江戸時代の儒学者 ｜ 1630-1714

人生には何よりも
「なに、くそ」という精神が必要だ。

［ 嘉納治五郎《かのうじごろう》 ］　講道館柔道の創始者・教育者 ｜ 1860-1938

野望、秘めてる？

Do you have a deep-rooted ambition?

31 野望、秘めてる?

[エカテリーナ2世] ロシアの女帝 | 1729-1796

エカテリーナ2世は、もともと王族ではなくドイツ国王の臣下《しんか》の娘でした。誰も結婚したがらないロシアの皇太子ピョートルに嫁いだとき、彼女の嫁入り道具は、ドレス3枚、1ダースの下着と、同数の靴下とハンカチのみだったと言います。ロシアに嫁ぐと、姑《しゅうとめ》のエリザベータからは厳しく当たられ、夫のピョートルも遊んでばかりでした。しかし、彼女はすぐにロシア語をマスターし、ロシアの歴史や地理を学び、文学や哲学までも猛勉強しました。こうした姿勢がエリザベータに認められ、ロシア貴族の信頼を勝ち得たのです。そしてエリザベータの死後、国王になったピョートルの外交上の失敗を期にクーデターを起こした彼女は、女帝としてロシア帝国に34年間、君臨することになりました。

内に秘めたる野望の強さが、人生をエキサイティングなものに変えてくれます。

偉人たちの名言

野心を持つって楽しいわ。野心には終わりがないように思える——そこがいいところなの。

[ルーシー・モンゴメリ] カナダの小説家・『赤毛のアン』著者 | 1874-1942

高校の時、友達はみんな将来 Google で働きたいって言ってた。けど、私はそこで検索される人になりたいと思ってたの。

[レディー・ガガ] 米国のアーティスト | 1986-

汝の運命の星は、汝の胸中にあり。

[フリードリヒ・フォン・シラー] ドイツの詩人 | 1759-1805

やばい集団になれ

Be an extraordinary team.

32

やばい集団になれ

[マイエル・ロスチャイルド]　ドイツの商人・銀行家 ｜ 1743-1812

世界でも最大の金融業者といわれるロスチャイルド家。その創始者のマイエルが1812年に亡くなると、彼の5人の息子たちは力を合わせてロスチャイルド家を隆盛に導きました。長男のアンゼルムはフランクフルトの本店で父に代わって一家を統率。次男のソロモンはウィーンで事業を経営、三男のネイサンはロンドンで金融業を経営、そして、四男のカールはナポリ、五男のジェームズはパリへと向かい、ヨーロッパの大都市に散ることで、情報を交換し合ったのです。こうして協力した彼らは、ヨーロッパ中の金融事業を手中に収めていきました。

強い意志で結ばれたチームは、個人では到達できない驚くべき結果を生み出します。

偉人たちの名言

自他ともに認めあった頭のいい少数の人間で
仕事をするとき、効果は最大になる。

[ビル・ゲイツ]　マイクロソフト社創業者 ｜ 1955-

偉大なソロを集めたオーケストラが最高のオーケストラではない。
優れたメンバーが最高の演奏をするものが
最高のオーケストラである。

[ピーター・ドラッカー]　オーストリアの経営学者 ｜ 1909-2005

一人一人の長所が異質であればあるほど、
チームワークの相乗効果は大きい。

[土光《どこう》敏夫]　エンジニア・実業家 ｜ 1896-1988

空気なんか読むな

No need to read the atmosphere.

33 空気なんか読むな

［ エドワード・ジェンナー ］ イギリスの医学者 ｜ 1749-1823

不治の病と恐れられた天然痘《てんねんとう》を予防できる種痘（ワクチン）を発見し、多くの人命を救ったジェンナー。しかし、その発見までの道のりは決して平坦ではありませんでした。当時、「牛痘《ぎゅうとう》（主に牛がかかる感染症）にかかった者は天然痘にかからない」という説がありましたが、医学界では根拠のない話だとされていました。ジェンナーは同僚に笑われながら、医者の仕事をするかたわら20年間、天然痘予防の研究を続け、さらに、種痘を発見してからも「牛の乳から出る病菌を人の体に植え付けようとしている」「魔法妖術のたぐいだ」と非難され続けました。しかし、ジェンナーの方法には効き目があったため、種痘を信じる者の数がしだいに増えていったのです。

新しい考えや行動には、反発する者が現れます。ときに、空気を読まず前進することが大切です。

偉人たちの名言

状況？　何が状況だ。俺が状況を作るのだ。

［ ナポレオン・ボナパルト ］ フランスの軍人 ｜ 1769-1821

成功の秘訣は、多数に逆らうこと。

［ バーナード・ショー ］ イギリスの劇作家 ｜ 1856-1950

お前の道を進め、人には勝手なことを言わせておけ。

［ ダンテ ］ イタリアの詩人 ｜ 1265-1321

開かないドアはない

There are no doors that cannot be opened.

34

開かないドアはない

[原安三郎《やすさぶろう》] 実業家 | 1884-1982

日本化薬元会長・原安三郎は3歳のときに骨髄炎にかかり、左足と右腕の自由を奪われました。それが原因で、優秀な成績にも関わらず「体操のできない者は退学せよ」と中学を退学させられます。戦時中は、軍国主義の風潮が学校教育にまで押し寄せ、身体が丈夫でない者は学校でも邪魔者扱いされたのでした。理不尽に思った原は、文部大臣が郷里・徳島に視察に来ることを知り、直訴しました。「われわれ身体の不自由な者は、身体でお国に役立つことはできないかもしれませんが、頭を使えば世の中に役立つことはできます。そのためには勉強しなくてはなりません。ぜひ、身体が不自由な者でも勉強することができるようにしてください」。この直訴によって、身体にハンデのある人たちにも中学進学の道が開けたのです。

どれだけ固く閉ざされた扉でも、開ける方法は必ず存在します。

偉人たちの名言

一つの扉が閉まれば、別の扉が開くものだ。しかし、人は閉まってしまった扉を長いあいだ、未練たっぷりに見つめてしまい、自分のために開かれた扉に気づかない。

[グラハム・ベル] スコットランドの発明家 | 1847-1922

辛抱すればこそ、成功が得られる。長い間大声で扉を叩き続ければ、必ず誰かが目を覚まして開けてくれる。

[ロングフェロー] 米国の詩人 | 1807-1882

一つのドアから入れなければ、別のドアから入る。あるいはドアを造る。

[ジョーン・リヴァーズ] 米国の女性コメディアン | 1933-2014

俺の猫パンチが
火を噴《ふ》くぜ！

Are you ready for my cat-punch?

35

俺の猫パンチが火を噴《ふ》くぜ!

［ ペレ ］ ブラジルのサッカー選手 ｜ 1940-

数多くの伝説的プレーによって『サッカーの神様』と呼ばれる、ペレ。ブラジルが極度のインフレに見舞われ、情勢が不安定だったときの話です。サンパウロの街にはギャングがあふれ、ペレの乗る高級外車も標的にされました。ギャングの集団が車を取り囲み、運転席にピストルを突きつけ金を要求しました。しかし、その様子を見た後部座席のペレは落ち着いたまま、一言、こう言ったそうです。

「ペレだが」

するとギャングたちはすぐに謝罪し、その場を立ち去りました。

「雰囲気」や「言葉」の重みが、相手の心を制圧することがあります。

偉人たちの名言

氷山の動きの持つ威厳は、それが水面上に八分の一しか出ていないことによるのだ。

［ アーネスト・ヘミングウェイ ］ 米国の小説家 ｜ 1899-1961

敵を動揺させることは肝要である。一つには「危険と思わせること」、二つには「無理と思わせること」、三つには「予期しないこと」をしかけることである。

［ 宮本武蔵 ］ 剣術家・兵法家 ｜ 1584頃-1645

威厳は香りのごときもの。威厳を活用する者はそれをほとんど意識はしません。

［ クリスティーナ ］ スウェーデンの女王 ｜ 1626-1689

REFRESH

リフレッシュ

息抜きは、豪快に

When taking a break, don't hold back.

36 息抜きは、豪快に

[アーネスト・ヘミングウェイ] 米国の詩人・小説家 | 1899-1961

「派手な遊び」を好んでいたと言われる文豪・ヘミングウェイ。彼の死後発売された長編『ケニア』に付いた膨大な年表を見ると、作品づくりの合間に大掛かりな「遊び期間」があったことが分かります。たとえば初の長編『日はまた昇る』が出版される前には、イタリアからスペインに長期滞在し、これが作品の舞台となりました。『武器よさらば』の執筆後には、ワイオミングで狩猟の旅行。そして『老人と海』を書き終えた時期に、アフリカ旅行をしています。ヘミングウェイはそうやって仕事を終えたあと、新たなインスピレーションを受けるために、あえて大胆な遊びを取り入れていたのでしょう。

思い切った息抜きは疲れを癒すだけではなく、次の仕事のアイデアを生み、モチベーションを高めてくれます。

偉人たちの名言

積極的に考え、積極的に行動する人ほど、積極的に遊び、
積極的に心身を癒している。つまり、仕事が充実している人間ほど、
余暇も充実しているということだ。

[ビル・ゲイツ] マイクロソフト社創業者 | 1955-

遊ぶときにはしっかり遊ぶこと。
仕事のときは一切遊ばないこと。

[セオドア・ルーズベルト] 第 26 代米国大統領 | 1858-1919

人生のあらゆる活動について効率的であるための秘密は、
最大限に活動しながら、最大限にリラックスするということです。

[オルダス・ハクスリー] イギリスの小説家 | 1894-1963

幸せは適量で

Bliss - only take in the proper amount.

37

幸せは適量で

［ ヘンリー・フォード ］　フォード・モーター社創業者　｜　1863‐1947

自動車王・フォードは、小食と適度な運動を健康管理のモットーとし、過剰なことは控える性格でした。当時は、成功した実業家の多くが肥満体型になっていたので、スマートな体型を保つフォードは珍しかったようです。あるパーティで、フォードがテーブルにつくと、周りは太った紳士ばかりでした。その中の一人が、フォードの細身な体型を話題にしたとき、彼はこう言いました。「生活していくのにどれだけの食べ物が必要かといえば、みなさんが毎日口にしている量の半分もあれば、それで十分だと思います」。

おいしいものはついつい多く摂《と》りがちになりますが、それを末永く楽しむためにも、適量を心がけましょう。

偉人たちの名言

節制は楽しみを増し、快楽をいっそう大にす。

［ デモクリトス ］　古代ギリシャの哲学者　｜　BC460 頃‐370 頃

多くの人びとは嗜欲《しよく》の主人とならずして、
その奴隷《どれい》となる。

［ マハトマ・ガンディー ］　インドの弁護士・社会運動家　｜　1869‐1948

酒の一杯は健康のため、二杯は快楽のため、
三杯は放縦《ほうしょう》のため、四杯は狂気のため。

［ アナカルシス ］　古代ギリシャの哲学者　｜　紀元前 6 世紀頃

自分が落ち着く
場所を見つけよう

Look for a spot that is comfortable for you.

38　自分が落ち着く場所を見つけよう

[**ヴォルテール**]　フランスの哲学者・作家 ｜ 1694 - 1778

ヴォルテールは、ベッドのなかで仕事をするのが好きでした。彼の家を訪ねた友人が、ヴォルテールの日課についてこう書いています。「ヴォルテールは、午前中をベッドのなかで過ごし、本を読んだり新しい作品を秘書に口述筆記させる。昼になるとベッドから出て服を着る。それから客の相手をするか、客がいなければ、仕事の続きをする。その際、コーヒーやチョコレートで栄養を補給する（昼食は食べない）。夕食後はベッドの中で口述筆記をして、それが深夜まで及ぶこともあった」。一日に18時間から20時間働いていたというヴォルテールですが、それが彼にとっては最高の生活スタイルだったのでしょう。

　周囲の人に過度に合わせる必要はありません。自分自身が一番落ち着けるスタイルを見つけましょう。

偉人たちの名言

自分には確かな居場所がある。自分を必要としてくれる場所がある。その安心感があればこそ、人は強く生きられるのです。

[ドロシー・ロー・ノルト]　米国の教育学者 ｜ 1924-2005

世間で頭角を現す人物は、自分の望む環境を自ら探し求める人物であり、もしそれが見つからない時は自分で創り出す人物である。

[バーナード・ショー]　イギリスの劇作家 ｜ 1856-1950

一つのことが万人にあてはまりはしない。
めいめい自分にふさわしい流儀を求めよ。

[ゲーテ]　ドイツの劇作家 ｜ 1749-1832

凹《へこ》んだときは
思いきり

When in sorrow, be in sorrow to your heart's content.

39

凹《へこ》んだときは思いきり

［ アイザック・ニュートン ］ イギリスの自然哲学者 ｜ 1642－1727

ニュートンは、51歳のとき、ケンブリッジのトリニティ・カレッジで、過去20年間に行った実験をまとめる本を書いていました。そして、ある冬の日、大学の礼拝堂に行くため部屋を出るときに、うっかり飼い犬のダイヤモンドを部屋の中に置いてきてしまいました。礼拝が終わって部屋へ帰ると、犬が火のついたロウソクを倒し、実験の説明を書いた原稿用紙が燃えていました。20年にわたる仕事を収めた原稿を全て灰にしてしまった彼の落ち込みようは相当で、身体の具合を悪くしたり、周囲が心配するほど理性を失っていたといいます。しかし深く落ち込んだあとは再び活力を取り戻し、一から原稿を書き直して完成させました。

つらいことがあったときは、無理にはね返そうとするのではなく、思い切って落ち込むことで、立ち上がる活力が得られます。

偉人たちの名言

黙ってこらえているのが一番苦しい。
盛んにうめき、盛んに叫び、盛んに泣くと少し苦痛が減《げん》ずる。

［ 正岡子規《しき》 ］ 俳人・歌人 ｜ 1867－1902

悲嘆はそれ自身、薬である。

［ ウィリアム・クーパー ］ イギリスの詩人 ｜ 1731－1800

人生で最も輝かしい時は、いわゆる栄光の時でなく、
むしろ落胆や絶望の中で人生への挑戦と未来への完遂の展望が
わき上がるのを感じたときだ。

［ フローベール ］ フランスの小説家 ｜ 1821－1880

続けよう、
エクササイズ

Let's keep exercising.

40 続けよう、エクササイズ

［ グレース・ケリー ］ 米国の女優・モナコ公妃 ｜ 1929－1982

「クールビューティ」と讃えられ、女優として人気絶頂の中でモナコ大公との結婚を発表したグレース・ケリー。しかし、女優から一転、本物の王妃として生きるのは並大抵の道のりではなかったといいます。特に外交儀礼の場では覚えなければならない細かなしきたりが多く、頭痛に見舞われることも多々ありました。そんな困難な道のりを支えたのは、女優時代の習慣でした。彼女はこう語っています。「一人の王妃を作る上で、女優生活におけるトレーニング、時間を厳守すること、同じことを何回も繰り返す仕事、お化粧のしかた、歩き方、他人との接し方など、すべてが役に立ちました」。

　毎日の訓練で身につける習慣は、人生のさまざまな場面で助けとなります。

偉人たちの名言

成果をあげる人とあげない人の差は、才能ではない。
いくつかの習慣的な姿勢と、基礎的な方法を身につけているかどうかの問題である。

［ ピーター・ドラッカー ］ オーストリアの経営学者 ｜ 1909–2005

成功が上がりでもなければ、失敗が終わりでもない。
肝心なのは、続ける勇気である。

［ ウィンストン・チャーチル ］ イギリスの政治家・作家 ｜ 1874–1965

精神、そして特に肉体は、規則的に運動しないと一生涯、
充分な力を発揮せずに終わってしまうことになりかねない。

［ ジョン・トッド ］ 米国の牧師・著述家 ｜ 1800–1873

ネタは寝たあと
やってくる

A good nap leads to good ideas.

41　ネタは寝たあとやってくる

［ アウグスト・ケクレ ］ ドイツの化学者 ｜ 1829－1896

ベンゼン（C_6H_6）の分子構造を解明したことで有名なケクレ。ベンゼンは炭素原子と水素原子６つずつで構成されていますが、それがどのように結合しているかは謎でした。これを解くヒントを得たときのことをケクレはこう語っています。「私は机に向かって教科書を書いていたが、あまりはかどらず、上の空だった。椅子を回して暖炉の方に向き、そしてまどろんだ。またしても私の眼前に炭素原子が跳ね回っていた。すると今度は一匹の蛇が現れ、自分の尾をくわえ、私の目の前をからかうようにぐるぐる回っている。私は稲妻に撃たれたように目を覚ました」。炭素原子が円形に並び、それぞれが水素原子と結びつくという環状構造を、ケクレは夢から思いついたのです。

とことんまで考え詰めたら、睡眠を取ることで思考が整理されます。

偉人たちの名言

決定をあせってはならない。ひと晩眠れば、
よい知恵が出るものだ。

［ アレクサンドル・プーシキン ］ ロシアの詩人・作家 ｜ 1799－1837

眠りは悩める者にとって、唯一の回生剤である。

［ トマス・ア・ケンピス ］ ドイツの神秘思想家 ｜ 1380－1471

夢の途中で突然、夜中に目が覚めて、こんな考えが浮かびました。
「もしすべてのウェブサイトをダウンロードできて、そのリンク先を
記録しておけたら、どうなるだろう」。

［ ラリー・ペイジ ］ Google 創業者 ｜ 1973－

ときどき、団子より花

At times, choose the flower over the dumpling.

42

ときどき、団子より花

［ ピーター・ドラッカー ］ オーストリアの経営学者 ｜ 1909－2005

『マネジメント』など、今なお読み継がれる経営学書の生みの親・ドラッカー。彼は、日本美術に深い理解を示す愛好家であり、アメリカにおける有数の日本絵画のコレクターでした。ドラッカーはロンドンのバーリントン・アーケードで、偶然水墨画と出会ったときのことをこう語っています。「美術の新しい世界を発見したというだけではなく、私自身について何かを発見したのだった。ほんのわずかではあるが、紛れもなくひらめきの感覚を体験したのであった」。それ以来彼は、精神的な豊かさを求め、日本美術の収集を始めたということです。

芸術は、普段の社会生活では経験できない豊かさをもたらしてくれることがあります。

偉人たちの名言

芸術は人間のパンではなくても、
少なくとも葡《ぶ》萄《どう》酒である。

［ ジャン・パウル ］ ドイツの小説家 ｜ 1763－1825

世の中に実に美しいものが沢山あることを思うと、
自分は死ねなかった。だから君も、死ぬには美しすぎるものが
人生には多々ある、ということを発見するようにしなさい。

［ ヘルマン・ヘッセ ］ ドイツの文学者 ｜ 1877－1962

芸術は、日々の生活で魂にたまった
ほこりを洗い流してくれる。

［ パブロ・ピカソ ］ スペインの芸術家 ｜ 1881－1973

HABIT

習慣

嫌いになるのは
食べてみてから

You can only dislike it after tasting it.

43

嫌いになるのは食べてみてから

[アルフレッド・アドラー]　オーストリアの精神科医 | 1870－1937

フロイト、ユングと並び、現代心理学の基礎を築いたアドラー。彼は学生時代、とにかく数学が苦手で留年を繰り返していました。しかし数学の授業中、教師が解けなかった問題を偶然解いてしまいました。すると数学を勉強するのが楽しくなり、その後、数学の成績がどんどん伸びていったといいます。アドラーは、のちにこう語っています。「あの経験は、『特別な才能』や『生まれながらの才能』という言葉の間違いを教えてくれた」。

食わず嫌いは、能力が開花する可能性を閉ざしてしまいます。まずは挑戦し、経験してから判断しましょう。

偉人たちの名言

「そんな難しいことはできない」と言う前に、まずやってみることです。結論はそれからでも遅くありません。

[ラルフ・ワルド・エマーソン]　米国の思想家 | 1803－1882

好きなことにだけ、のめり込み過ぎないように。そうすると、他の分野への冒険ができなくなってしまう。自分の好きなもの以外、見えないようにするのは愚かなことだ。

[ウォルト・ディズニー]　ウォルト・ディズニー社創業者 | 1901－1966

何かをするのに、失敗か成功かは、飛び込んで試してみなければ分からない。だめだったら方向を変えればいい。でも、何もせずに出来合いの道を進んでいては新しい成長はありえない。

[ジャック・マー]　中国の実業家 | 1964－

おこぼれを期待しない

Don't expect a lucky break to just fall from the sky.

44

おこぼれを期待しない

［ ウォーレン・バフェット ］ 米国の投資家・慈善活動家 ｜ 1930-

世界一の投資家で、「オマハの賢人」と言われるウォーレン・バフェット。彼は、一時期620億ドルもの資産を持っていましたが、76歳のとき資産のほとんど（85%）を慈善事業に寄付しました。また、バフェットには、3人の子どもがいますが、彼らがバフェットの死後にもらえる遺産は「やりたいことを始めるには十分だが、何もしなかったら暮らせない額」と言われています。娘のスーザンから家の改装のための資金をせがまれたときも、「銀行に頼めばいいだろう」と断りました。バフェットは子どもたちに冷たいというわけではなく、愛しているからこそ「自分の居場所は自分で切り開かせたい」と考えているのです。

「もらう」のを期待するのではなく、自らの手で切り開くからこそ、真の報酬が得られます。

偉人たちの名言

幸福は自主自足のうちにあり。

［ アリストテレス ］ 古代ギリシャの哲学者 ｜ BC384-322

あらゆる堕落《だらく》の中で最も軽蔑すべきものは、
他人の首にぶらさがることだ。

［ ドストエフスキー ］ ロシアの小説家 ｜1821-1881

お金は天から降ってこない。
地上で稼ぎ出さねばならない。

［ マーガレット・サッチャー ］ イギリスの政治家 ｜ 1925-2013

逆にアリ、と思ってみる

To think as if the reverse is true.

45

逆にアリ、と思ってみる

[親鸞《しんらん》] 鎌倉時代の僧 | 1173-1263

浄土真宗の開祖である親鸞。彼が比叡《ひえい》山で修行に励んでいた頃、様々な煩悩《ぼんのう》に苦しめられていました。そんな自分に対して、修行が足りないと考えた親鸞は、さらなる苦行を自らに課すために京都の六角堂にこもりました。そうした日々の中、ある夜に親鸞は夢の中でこんな言葉を聞いたのです。「真の悟りを得ようという者にとっては、形だけの戒律にとらわれて心身を苦しめることは、まことに無益なことである」。はっと目覚めた親鸞は、やがて下山し、仏教で禁じられていた妻をめとりました。他の僧侶や一般市民は、彼を破戒《はかい》僧と非難しましたが、親鸞は、妻をめとったことによって、いたずらに煩悩に邪魔されることなく、修行に専念している自分を発見しました。こうして親鸞は当時としては型破りな、妻帯や肉食をも認める浄土真宗を開くことになったのです。

多くの人が常識だと考えていることを逆にしてみると、新しい世界が開けます。

偉人たちの名言

逆説は、頭の働く人の思考癖である。

[アンリ・フレデリック・アミエル] スイスの詩人 | 1821-1881

マイナスをプラスに変えることができるのは、
人間だけが持っている能力だ。

[アルフレッド・アドラー] オーストリアの精神科医 | 1870-1937

アップルをクビになったことは人生最良の出来事であることが
だんだん分かってきました。成功したことによる重圧は、
再び初心者であることの軽やかさに変わりました。

[スティーブ・ジョブズ] アップル社創業者 | 1955-2011

ネガティブ禁止

Negativity Prohibited

46

ネガティブ禁止

[マリア・カラス] 米国のソプラノ歌手 | 1923-1977

「絶対的ディーバ(歌姫)」と呼ばれたマリア・カラス。彼女がヨーロッパを離れ、新天地アメリカにやってきたときの話です。彼女はアメリカで歌える場所を求めましたが、なかなか契約してもらえませんでした。そんな中、有名なメトロポリタン歌劇場から声がかかります。しかし、与えられた役が自分のアメリカデビューにふさわしくないと思った彼女は、契約を断りました。仲間たちからは「これでアメリカで名を成すチャンスを失ってしまった」と言われましたが、彼女は「馬鹿らしい!」と怒り、こう言いました。「いつの日か、メトロポリタンは私の前にひざまずいて、歌ってくれと頼むでしょう」。その宣言通り、のちに彼女は、メトロポリタン歌劇場で理想的な役を得て歌うことになったのです。

理想の道を切り拓《ひら》くために、自信とポジティブさを大切にしましょう。

偉人たちの名言

賢い人は、徹底的に楽天家である。

[アンドリュー・カーネギー] 米国の実業家 | 1835-1919

悲観主義者はあらゆる機会の中に問題を見いだす。
楽観主義者はあらゆる問題の中に機会を見いだす。

[ウィンストン・チャーチル] イギリスの政治家・作家 | 1874-1965

10本連続でシュートを外しても僕はためらわない。
次の1本が成功すれば、それは100本連続で成功する
最初の1本目かもしれないだろう。

[マイケル・ジョーダン] 米国のバスケットボール選手 | 1963-

健康は偶然じゃない

Good health is not a coincidence.

47	# 健康は偶然じゃない

[伊達政宗] 戦国大名 | 1567 - 1636

戦《いくさ》上手で知られた伊達政宗ですが、医者も認めるほどの豊富な医学知識を持っていました。城の使用人が病にかかると、まず政宗が診察し、脈を取り、病状と処方すべき薬を書状に記して医師に渡し、一度も誤ることがなかったそうです。しかし、自分の知識を過信することはありませんでした。『政宗公御名《おんみょう》語《ご》集《しゅう》』にはこんな記述があります。「日ごろから政宗公は自身の脈をとり、悪寒《おかん》や熱気を感じたときなど、また自身の見立てに疑問が生じるとすぐ医師を呼び出し、相談のうえで治療をした」。

　医学の知識を身につけ、さらに専門家の意見を傾聴する。健康に対する真摯《しんし》な姿勢こそが、健康を保つ秘訣です。

偉人たちの名言

健康は実に貴重なものである。これこそ人がその追求のために、
単に時間のみならず、汗や労力や財宝をも、否《いな》、生命さえも
捧げるに値する唯一のものである。

[モンテーニュ] フランスの思想家 | 1533-1592

健康になりたいと願うことは、
健康になることの一部分です。

[セネカ] 古代ローマの哲学者 | BC4 頃-AD65

予防にまさる治療無し。

[プブリリウス・シルス] 古代ローマの詩人 | 紀元前 1 世紀頃

知識は
君を守ってくれる

Knowledge will protect you.

48

知識は君を守ってくれる

[ナポレオン・ボナパルト] フランスの軍人 | 1769-1821

ナポレオンは子どものときから「英雄伝」などをはじめ、本を好んで読んでいました。そして、軍人として出世し、フランスの皇帝としてヨーロッパ中を勢力下においた彼の手元にも、一冊の愛読書があったといいます。それは当時から2000年以上も前に書かれた、戦術の書『孫子の兵法』でした。1796年に、彼が3万の軍隊でオーストリア軍5万を相手にしたとき、地形を使って敵を3つの勢力に分断し打ち破ったのですが、これは『孫氏の兵法』に書いてある通りに動いた結果だといわれています。

本を読み、知識を得ることで、自分の身を守る力を手に入れましょう。

偉人たちの名言

書籍は、病める時は装具となり、
苦しい時には慰めとなる。

[キケロ] 古代ローマの政治家 | BC106-43

一冊の本に人生を丸ごと変えてしまう力があることを、
みんな理解していない。

[マルコム・X] 米国の公民権運動家 | 1925-1965

知識は、われわれが天に飛翔する翼である。

[ウィリアム・シェイクスピア] イギリスの劇作家 | 1564-1616

待つほどうまい

The longer you wait, the better it tastes.

49 待つほどうまい

［ コンパイ・セグンド ］ キューバ出身の歌手・ギタリスト ｜ 1907－2003

コンパイ・セグンドは10代の頃から歌を作っていました。しかし、キューバ革命で政治体制が変わると、彼の音楽は資本主義的だと見なされ、表舞台から姿を消してしまいます。そこでセグンドは、生活のために葉巻屋を始めましたが、時間を見つけて音楽活動を続けていました。彼が再び表舞台に復帰したのは82歳のときで、『ブエナ・ビスタ・ソシアル・クラブ』でグラミー賞を受賞したときは、90歳でした。「本当に大事なことは、ほとんどいつも思いがけなく起こるもんだ。夢に見ていた好機、成功……そんなものがいつ訪れるかなんて、誰にもわからないものさ」。これはセグンドの言葉ですが、あきらめなかった彼にとって、人生の最後に勝ち取った栄冠の喜びはひとしおだったでしょう。

　結果が出せない時期が長いほど、達成したときの喜びは大きくなります。あきらめずに、進み続けましょう。

偉人たちの名言

よくこねないと、うまいパンは食べられない。

［ ジャン＝アントワーヌ・ド・バイフ ］ フランスの詩人 ｜ 1532－1589

いかにして待つかを知ること、
これこそ成功の最大の秘訣である。

［ ジョゼフ・ド・メーストル ］ フランスの思想家 ｜ 1753－1821

私は一夜にして成功をおさめたと思われているが、
その一夜のために三十年かかった。思えば長い長い夜だった。

［ レイ・クロック ］ マクドナルドコーポレーション創業者 ｜ 1902－1984

一人で世界を狭くしない

Don't create a narrow world on your own.

50　一人で世界を狭くしない

［ 坂本龍馬 ］　江戸時代末期の志士 ｜ 1836－1867

薩《さっ》長《ちょう》同盟を成立させ、明治維新の立役者となった坂本龍馬。豪快なイメージのある彼ですが、幼い頃は泣いてばかりいるひ弱な子で、周囲の子どもたちからバカにされていました。そんな龍馬が変わったきっかけは、3歳年上の姉・乙女の勧めによって、日根野《ひねの》道場で剣術修行を始めたことです。日根野道場ののびのびとした雰囲気の中、楽しくも激しい修行を積んだことで龍馬はめきめきと実力をつけ、本来持っていた活発さを自然と表現できるようになったといいます。

狭い世界に留まることは、自分の可能性を狭めることになりかねません。思い切って新しい環境に飛び出してみましょう。

偉人たちの名言

人は、その視野の範囲でしか成長できない。

［ ジョン・パウエル ］　イギリス出身の作曲家 ｜ 1963-

人間は、自分の限界よりも、ずっと狭い範囲内で生きているに過ぎず、いろいろな能力を使いこなせないままに放置しているのである。

［ ウィリアム・ジェームズ ］　米国の哲学者・心理学者 ｜ 1842-1910

変化への抵抗の底にあるものは、未知への不安である。
しかし、変化は機会と見なすべきものである。
変化を機会としてとらえたとき、初めて不安は消える。

［ ピーター・ドラッカー ］　オーストリアの経営学者 ｜ 1909-2005

こまかいことには
目をつぶろう

Turn a blind eye to little things.

51

こまかいことには目をつぶろう

[パブロ・ピカソ] スペインの芸術家 | 1881－1973

作品の価値の高さとその数の多さで、偉大な芸術家として世に知られるピカソ。ただ、彼が生涯を通じて友人を大切にしていたことはあまり知られていません。ピカソが友人のオルティスに無料で絵を譲ったとき、オルティスは無断でその絵を模写してピカソの作品として画廊に売ってしまったことがありました。そのことを知ったピカソは、その作品が贋作《がんさく》（偽物）だと分かるとオルティスが苦しい立場になると考え、こっそり、画廊の言い値で買い戻したのです。ピカソはこの出来事を振り返ってこう語っています。「友達を護《まも》るために自分の作品を買ったのは、それが最初じゃないんだ」。

どんな分野においても、大成する人間は大きな器を持っているものです。

偉人たちの名言

弱い者ほど相手を許すことができない。
許すということは、強さの証《あかし》だ。

[マハトマ・ガンディー] インドの弁護士・社会運動家 | 1869-1948

優れた人は常に穏やかで落ち着いている。
小人はいつもこせこせして心配事が絶えない。

[孔子《こうし》] 中国春秋時代の思想家 | BC552-479

幸福への道はただ一つしかない。それは、意志の力でどうにもならない物事は悩んだりしないことである。

[エピクテトス] 古代ギリシャの哲学者 | 50-135

歳をとるのを怖がらない

Don't fear aging.

52

歳をとるのを怖がらない

［ ココ・シャネル ］ フランスのファッションデザイナー ｜ 1883－1971

女性のファッションだけでなく、その生き方にまで影響を与えたデザイナー、シャネル。50代になった彼女は、依然として発想の斬新さ、そして自身の美しさで多くの人を魅了していましたが、第二次世界大戦勃発を期にファッション界を引退します。しかしその後、彼女が浸透させてきた「シンプルで着心地がよく、無駄がないファッション」を台無しにする風潮を見て復帰を決意しました。そのときシャネルは71歳でしたが、彼女を見た『ニューヨーク・タイムズ』の記者は「目を見張るような美しさだった」と絶賛しています。そして彼女は亡くなるまでの17年間、再びファッション界に君臨することになったのです。

　年齢は、人の魅力を衰《おとろ》えさせるのではなくむしろ、磨き上げるものです。

偉人たちの名言

女は40歳を過ぎて初めて面白くなる。

［ ココ・シャネル ］ フランスのファッションデザイナー ｜ 1883－1971

年を取るのは仕方ないが、
年寄りになる必要はない。

［ ジョージ・バーンズ ］ 米国のコメディアン ｜ 1896－1996

年齢なんか単なる思い込み。こちらが年齢を
無視してしまえば、年齢の方だって無視してくれる。

［ エラ・ウィーラー・ウィルコックス ］ 米国の女性詩人 ｜ 1850－1919

積み重ねると、
遠くが見える

Stacks of experience allow you to see further.

53 積み重ねると、遠くが見える

［ 豊臣秀吉 ］ 戦国時代の武将 ｜ 1537－1598

豊臣秀吉がまだ足軽《あしがる》（下級の兵士）だったころ、他の足軽たちと集まって「どんな望みがあるか」を互いに言い合うことになりました。みな口々に、「殿様になりたい」「百万石《ごく》の国を取りたい」と言いましたが、秀吉の番になると、彼はこう言いました。「今より百石多くもらえる身分になりたい」。すると他の足軽たちは「なんて夢の小さいやつだ」と一斉に笑い出しましたが、秀吉はこう言ったそうです。「おぬしらは所詮《しょせん》かなえられない望みを言い合っているにすぎない。俺の目標は頑張れば必ず手に入るものだ。空頼みではなく手の届く望みなのだ」。

手を伸ばせば届く小さな夢をかなえ続けることで、とてつもなく大きな夢に手が届くようになります。

偉人たちの名言

天才？　そんなものは存在しない。絶え間なく計画を立て、
ひたすら勉強し、方法を探り続けることでその域に達するのだ。

［ オーギュスト・ロダン ］ フランスの彫刻家 ｜ 1840－1917

人生で最も大切なことは、はるか彼方にあるものを見ようとする
ことではなく、目の前にはっきり見えるものをきちんと実行することだ。

［ トーマス・カーライル ］ スコットランド出身の歴史家・評論家 ｜ 1795－1881

いつか空の飛び方を知りたいと思っている者は、まず立ち上がり、
歩き、走り、登り、踊ることを学ばなければならない。
その過程を飛ばして、飛ぶことはできない。

［ フリードリヒ・ニーチェ ］ ドイツの哲学者 ｜ 1844－1900

COMMUNICATION

コミュニケーション

大切なのは距離感

What is important is keeping the right distance.

54

大切なのは距離感

[トーマス・カーライル] スコットランド出身の歴史家 | 1795－1881

[ジェーン・ウェルシュ] カーライルの妻 | 1801－1866

世に認められる前のカーライルは、無骨で風変わりな人物で、無一文でした。そんな彼を支えたのは、妻のジェーン・ウェルシュです。ジェーン自身も才能のある詩人でしたが、より多くの時間を夫に尽くすために詩作をやめました。また節約するために、自分の服は自分で作り、夫の慢性的胃弱を改善しようと色々な食事を試したそうです。しかし、彼女が最も優れていたのは、カーライルと適切な距離を保っていたことでした。彼女はこう語っています。「夫の個性に手を加えて、台無しにしてしまうくらいなら、個性の周りにチョークで丸を描き、『この中から出ないで自分の個性を伸ばしなさい』と言いますわ」。

お互いの個性を尊重する距離感が、より良い人間関係を築きます。

偉人たちの名言

結婚に必要なものは、コミュニケーション。
そして、一人になれる場所があること。

[ベティ・デイヴィス] 米国の女優 | 1908－1989

互いに自由を妨げない範囲において、我が自由を
拡張すること。これが自由の法則である。

[イマヌエル・カント] ドイツの哲学者 | 1724－1804

君子の交わりは淡《あわ》きこと水の如し、
小人の交わりは甘きこと醴《あまざけ》の如し。

[荘子《そうし》] 戦国時代中国の思想家 | BC369－286

友達、グローバル化してる?

Do you have a diverse group of friends?

55

友達、グローバル化してる?

[徳川家康] 武将・戦国大名 | 1543-1616

日本を鎖国化した人物として有名な徳川家康ですが、彼は外交顧問として外国人を重視していました。イギリス人のウィリアム・アダムスや、オランダ人のヤン・ヨーステンがその代表的な人物です。海外貿易や技術導入に意欲的だった家康は、彼らから東インド会社の存在を教えられました。また、1611年に、スペイン国王の使者ビスカイノが、「貿易に適した港を探したい」と日本の海岸線を測量し始めたとき、目的は貿易ではなく金銀島《きんぎんとう》を探索して植民地にすることだと察知したのも彼らだったのです。

近くにいる友人や同僚だけではなく、外部の人たちとも交流し、新たな情報を取り入れましょう。

偉人たちの名言

外国人との交流を通して、彼らの考え方と私の受けた教育には大きな違いがあることを発見し、外にはまったく別の世界があるのだということを理解した。

[ジャック・マー] 中国の実業家 | 1964-

日本人も西洋諸国の人民も、同じ天地の間にあって、同じ太陽、同じ月・海・空気を共にし、互いに通じ合う人情を持つ人民ではないか。余った産物は与え、外国に余っている物産はもらい、教え合い、学び合い、恥じたり自慢したりせず、互いに相手国の便利を考えて、その発展を願うべきであろう。

[福沢諭吉] 慶応義塾創設者 | 1835-1901

若者を確実に堕落させる方法がある。違う思想を持つ者よりも同じ思想を持つ者を尊重するように指導することである。

[フリードリヒ・ニーチェ] ドイツの哲学者 | 1844-1900

アラ探し、やめよう

Stop looking for fault in others.

56

アラ探し、やめよう

[アンディ・ウォーホル] 米国の画家・アーティスト | 1928-1987

ポップアートの旗手として知られる、アンディ・ウォーホル。彼は、世の中のありとあらゆるものの中に「美」を見出す天才でした。ある雑誌によって、ウォーホルの次回作の映画タイトルが『ビューティーズ』だと先行発表されてしまったときのことです。彼は、このタイトルが有名になったことで頭を悩ませました。映画に誰を出演させればいいのか分からなくなってしまったのです。ウォーホルはこう言いました。「『ビューティーズ』と言うからには出演者全員が美人でなければならないし、でも僕の映画に出てる子は美人だけど、他の映画に出てる子は美人じゃないなどという意味を持たせたくなかった」。結局、ウォーホルは、この映画を作ることを断念しました。

人の持つ輝きを見つけられる人が、世界をさらに輝かせます。

偉人たちの名言

あなたのまわりにいまだ残されているすべての美しいもののことを考え、楽しい気持ちでいましょう。

[アンネ・フランク] 『アンネの日記』著者 | 1929-1945

他人の短所を見れば憂うつになり、
他人の長所を見れば人生が楽しくなる。

[アンドリュー・カーネギー] 米国の実業家 | 1835-1919

人を批評していると、
人を愛する時間がなくなってしまいます。

[マザー・テレサ] インドの修道女 | 1910-1997

そんなに傷つくのが
怖い？

Are you that afraid of getting hurt?

57 そんなに傷つくのが怖い？

［ **スタンダール** ］ フランスの小説家 ｜ 1783－1842

フランスの文豪スタンダール。彼は52歳のとき、ローマ近くのアルバノ湖の岸辺を散歩しながら、彼が愛した12人の女性の頭文字を砂の上に書きました。そして、その文字を見てこう振り返りました。「この大部分の女性は私に好意を示そうとしなかった。しかし、彼女たちは文字通り私の全生涯を支配した」。スタンダールのした恋の多くは成就せず、彼は傷つき続けましたが、その経験が『赤と黒』などの文学や、『恋愛論』など類を見ない恋愛分析書として昇華され、後世の人々に影響を与えたのです。

傷つくことを恐れすぎると、人生の醍醐味《だいごみ》をも逃してしまいます。

偉人たちの名言

用心は人生を安泰にするが、
人生を必ずしも幸せにするとは限らない。

［ サミュエル・ジョンソン ］ イギリスの文学者 ｜ 1709－1784

真に優秀な人間とは、常に何事もただでは与えられず、
すべては代償を払って築きあげなければならぬことを、
一番よく知っている者のことである。

［ ゲーテ ］ ドイツの劇作家 ｜ 1749－1832

行動にはつねに危険や代償が伴う。
しかし、それは行動せずに楽を決めこんだ時の長期的な
危険やコストと比べれば、取るに足らない。

［ ジョン・F・ケネディ ］ 第35代米国大統領 ｜ 1917－1963

目指せ、ボスキャラ

Aim to become the leader of the pack.

58 目指せ、ボスキャラ

[西郷隆盛] 薩摩《さつま》藩士・政治家 | 1828-1877

江戸時代末期、幕臣である3人の刺客が鹿児島へ向かっていました。彼らは勝海舟からの紹介状を手に、西郷隆盛に会って刺殺しようと目論《もくろ》んでいたのです。そして彼らが西郷の家に着いたとき、玄関の真ん中でふんどし姿で昼寝をしている男がいました。その男に「西郷はどこか?」とたずねると「おいどんが西郷じゃが」と答えたので3人はびっくりしました。西郷は、勝の紹介状をひととおり読んだあと、「ほほう、あなたたちは、おいどんを刺しにまいられたか、遠路はるばるご苦労でしたな」と言って、大きく笑いました。刺客たちはその度量に驚き、目的を果たさず帰っていったということです。

人は、その人の持つ寛容さや胆力の強さに惹《ひ》きつけられるものです。

偉人たちの名言

君子に大切なことは、志と肝だけである。
志がなく、肝がすわっていなければ、わずかな才能や知識があったとしても、何の役に立つであろうか。

[吉田松陰] 長州藩士・思想家 | 1830-1859

大いに屈する人を恐れよ。いかに剛に見ゆるとも、
言動に余裕と味のない人は大事をなすに足らぬ。

[伊藤博文] 初代内閣総理大臣 | 1841-1909

敵に遭《あ》ったときこそ平静さを失うな。混乱した時こそ
余裕を持て。困難にぶつかったときこそ部下の事を忘れるな。

[司馬《しば》穰苴《じょうしょ》] 中国春秋時代の将軍 | 紀元前6世紀頃

必死に伝えれば、伝わるもの

Try hard to deliver a message and it will be understood.

59 必死に伝えれば、伝わるもの

[孔子《こうし》] 中国春秋時代の思想家 | BC552-479

『論語』で有名な孔子ですが、彼の教えが広まるまでには数々の困難がありました。当時の中国では、教育を受けることができたのは貴族だけで、平民出身だった孔子は学校に入学できず、独学で学問を修めていきます。彼が30歳のとき、庶民を生徒にした私塾を開きますが、これも貴族階級から反対にあいました。その後、斉《せい》の国で登用を断られて、魯《ろ》に戻ってきたときには40歳を過ぎていましたが、彼は立ち止まることなく、自分の思想を伝え続けていきました。その結果、『論語』は当時の人だけではなく、現代を生きる人々にも影響を与えることになったのです。

情熱があれば、思いは必ず人に伝わります。繰り返し、発信し続けましょう。

偉人たちの名言

本当の腹底から出たものでなければ、
人を心から動かすことはできない。
[ゲーテ] ドイツの劇作家 | 1749-1832

雄弁に欠かせないものは誠実さである。自分に対して
誠実な人間になれば、人を説得することができる。
[ウィリアム・ヘイズリット] イギリスの著作家 | 1778-1830

原稿を読んでいては絶対、人は口説けない。
[盛田昭夫] ソニー創業者 | 1921-1999

最初は誰だって人見知り

Everyone's shy at first.

60

最初は誰だって人見知り

［ 豊田佐吉 ］ トヨタグループ創始者 ｜ 1867‑1930

TOYOTA 自動車の前身である、豊田紡織の創業者・豊田佐吉。彼は少年時代「むっつり佐吉」と呼ばれて、内気な性質で人とはほとんど口をきかず、一人で考え事をしている子どもでした。そんな佐吉が変わったきっかけは、特許条例について知ったことです。特許条例は「世の中にないものを人間の頭の中から考え出すための法律」だと聞き、「自分がやるべきことは発明だ！」と興奮したのでした。それ以来、厳しい父親の目を盗んで特許に詳しい先生のところにいき、発明に関する話を熱心に聞き、議論を交わしたのです。

　人間関係が苦手だったとしても、好奇心を育てることで、人との間にある壁を自然に乗り越えることができます。

偉人たちの名言

人に真に好かれるには、相手が誰であろうと、
ともに大いに楽しんでいる様子を示すことだ。

［ ジョセフ・アディソン ］ イギリスの作家 ｜ 1672‑1719

利益と必要が、あらゆる社交性の根本である。

［ エルヴェシウス ］ フランスの哲学者 ｜ 1715‑1771

孤独はいいものだということを我々は認めざるを得ない。
しかし、孤独はいいものだと話し合うことの出来る相手を
持つことは一つの喜びである。

［ バルザック ］ フランスの小説家 ｜ 1799‑1850

たまには他力本願で

It is okay to depend on others' help at times.

61

たまには他力本願で

[滝沢馬琴《ばきん》] 江戸時代の著述家 | 1767-1848

滝沢馬琴が『南総《なんそう》里《さと》見《み》八犬伝《はっけんでん》』の第1巻を刊行したのは48歳のときです。彼はそれ以降もこの作品を書き続けていましたが、68歳のとき右目の視力を失ってしまいました。それでも文字を大きくして執筆を続けていましたが、3年後には左目も失明してしまいます。馬琴は、なんとか最後まで完成させたいと思い、息子の嫁のお路《みち》に口述筆記を頼むことにしました。しかし、お路は文字の読み書きができず、一文字ずつをいちいち説明しながらの作業になりました。ただ、くじけそうになる馬琴を、ときにお路が励ますこともあったそうです。この二人三脚によって、『南総里見八犬伝』(全98巻)は完成しました。

自力ではどうにもならない場面に遭遇したときは、人の力を借りることを考えてみましょう。

偉人たちの名言

お互いに助け合わないと生きていけないところに、
人間最大の弱みがあり、その弱みゆえにお互いに助け合うところに、
人間最大の強みがあるのである。

[下村湖人《こじん》] 小説家・社会教育家 | 1884-1955

自分以外の人間に頼むことができて、しかも彼らの方が
うまくやってくれるとしたら自分でやる必要はない。

[ヘンリー・フォード] フォード・モーター社創業者 | 1863-1947

お互いに助け合わねばならない。
これは自然の掟《おきて》である。

[ラ・フォンテーヌ] フランスの詩人 | 1621-1695

HOPE

希望

一度やってみたかった
ことをやろう

Achieve a life-long dream.

62	一度やってみたかったことをやろう

[伊能忠敬《いのうただたか》] 江戸時代の商人・測量家 | 1745 - 1818

商家の当主であり、村の名主でもあった伊能忠敬の妻・達《みち》は、死の間際にこう言い残しました。「これからの人生は、あなたがやりたいことをなさってください」。忠敬は、小さなころから星に興味をもっていて、いつかは天文学を本格的に学びたいと考えていました。しかし、伊能家の婿《むこ》養子に来てからは、伊能家を立て直すという責任のため自分のやりたいことは心の奥底に秘めていたのです。忠敬は、妻の言葉にこう答えました。「50歳になったら、そうさせてもらうよ」。そして50歳になった彼は領主に隠居を申し出、19歳年下の天文学者・高橋至時《よしとき》に弟子入りしました。そして忠敬は、高橋から学んだことを活かして、最初の日本地図『大日本沿海輿《よ》地《ち》全図』を作り始めたのです。

人生に遅すぎるということはありません。ずっと心に秘めていたことを、行動に移しましょう。

偉人たちの名言

なりたかった自分になるのに
遅すぎるということはない。

[ジョージ・エリオット] イギリスの作家 | 1819-1880

医者は生活の安定を約束していた。
しかし、僕は画《え》が描きたかったのだ。

[手塚治虫《おさむ》] 漫画家・アニメーター | 1928-1989

私が証明したかったのは、年をとることが決して死を意味しないことだ。
とにかく何歳になっても自分の夢を諦めてはダメだ。

[ジョージ・フォアマン] 米国のプロボクサー・牧師 | 1949-

神頼みは最後に

Only pray as a last resort.

63 神頼みは最後に

［ ベートーヴェン ］ ドイツの作曲家 ｜ 1770－1827

ベートーヴェンが、ピアノ奏者のモシェレスから楽譜を受け取ったとき、その片隅にこんな言葉を見つけました。「神の助けによって、つつがなく演奏が終わりますように」。すると彼はすぐにペンを取り、その言葉の下にこう書き足したのです。「神に頼るとはなんたることだ。自らの力で自らを助けたまえ」。難聴という過酷な状況も自らの力で乗り越えるという意志を持っていたからこそ、ベートーヴェンは偉大な曲を作り続けることができたのでしょう。

　運を天に任せるのではなく、できるかぎりの努力をしてみましょう。

偉人たちの名言

我、神仏を尊《とうと》びて、神仏を頼らず。

［ 宮本武蔵 ］ 剣術家・兵法家 ｜ 1584 頃-1645

神は行動しない者には決して手を差し伸べない。

［ ソフォクレス ］ 古代ギリシャの詩人 ｜ BC496-406

人の願いや祈りは、彼の思考や行動がそれと調和したものであるときにのみ、かなえられる。

［ ジェームズ・アレン ］ イギリスの作家 ｜ 1864-1912

無理矢理笑おう

Force yourself to laugh.

64 無理矢理笑おう

[ピエール＝オーギュスト・ルノワール]　フランスの画家 ｜ 1841－1919

「悲しみを描いたことのない唯一の作家」と呼ばれた、ルノワール。彼は、世界に喜びを見出そうとする姿勢こそが人を救うと信じていました。50歳を過ぎ、持病のリウマチが悪化したとき友人に宛てた手紙の中では、「足が冷える、背中が熱い、天気が悪い、しかし、いずれ天気がよくなり、画《え》を描き続けられると確信している」と語っています。そしてルノワールはこの病気の手術で手と足に麻痺《まひ》が残ってしまいましたが、看護婦に絵筆を持たせてもらい、喜びに満ちた絵を描き続けました。

多少無理をしてでも喜びを見出そうとする姿勢が、希望と活力を呼び寄せます。

偉人たちの名言

上機嫌は、社会において着ることのできる
最高の衣装の一つであると言えよう。

[ウィリアム・M・サッカレー]　イギリスの小説家 ｜ 1811－1863

私の経験から言うと、物事は楽しもうと思えば、
どんなときでも楽しめるものよ。もちろん、
楽しもうと固く決心することが大事よ。

[ルーシー・モンゴメリ]　カナダの小説家・『赤毛のアン』著者 ｜ 1874－1942

常に悲しみを要求する人生に対して、僕らにできる最上のことは、
小さな不幸を滑稽《こっけい》だと思い、また大きな悲しみをも笑い飛ばすことだ。

[フィンセント・ファン・ゴッホ]　オランダの画家 ｜ 1853－1890

人生に
リハーサルなんてない

No such thing as a rehearsal in life.

65 人生にリハーサルなんてない

[黒澤明] 映画監督 | 1910-1998

黒澤明は映画を作る際、徹底的に画《え》に対してこだわりました。ワンシーンに登場するトラの目が死んでいるのがダメだと言って野生のトラを捕まえてこさせたり、合戦のシーンで130頭の馬に麻酔をかけて眠らせ、人と馬の死骸《しがい》の山を表現したほどです。しかし、彼のこうしたスタイルは、映画監督になる前の、画家を目指していたときから発揮されていました。19歳のとき所属していたプロレタリア美術研究所時代は、油絵のキャンバスが買えなかったため、黒澤は絵が飛び出るような立体感を出そうと、水彩でできるあらゆる方法を駆使して油絵の効果を演出したといいます。このようなこだわり抜く姿勢が、のちに「世界のクロサワ」を生み出すことになったのです。

全てが本番だと考え力を出し尽くすことが、未来の結果につながります。

偉人たちの名言

人生にリハーサルはない、チャンスは一度だけ、だから
「今」やりたいことをやれるだけやる。それだけのこと。

[アニータ・ロディック] イギリスの実業家 | 1942-2007

一瞬が、あるいはたった一つの仕事が人生の意味の
ほとんどを、あるいは全てを与えることもある。

[キングスレイ・ウォード] カナダの実業家 | 1932-2014

人生は一冊の書物に似ている。愚かな人間はパラパラとそれを
めくっていくが、賢い人間は丹念にそれを読む。なぜなら、
彼はただ一度しかそれを読むことが出来ないのを知っているからだ。

[ジャン・パウル] ドイツの小説家 | 1763-1825

でかけよう。

答えは外にある

Go out. The answer lies outside.

66 でかけよう。答えは外にある

［ チェ・ゲバラ ］ アルゼンチン出身の革命家 | 1928-1967

幼いころ喘息《ぜんそく》を患っていたチェ・ゲバラは、外出することができず、室内で読書をして過ごしました。ヴォルテール、ボードレール、キップリングなどの著作を愛読し、自身も文章を書くことを好んだようです。1947年、医師になることを決意したゲバラは、優秀な成績で医師の資格を得ますが、同時に「何か満たされない思い」も感じていました。そこで彼は、親友のアルベルトと「ポデローサ2号」（エンジン付き自転車）に乗り、7ヶ月かけて約1万kmの南米大陸縦断の旅に出たのです。この旅によって、植民地時代を色濃く残した、抑圧された先住民、農民、労働者たちを目撃し、人々を救うためには医師としての活動よりも、社会体制の革命が必要であると考えました。こうして彼は、ゲリラ軍の軍医として、革命家の道を歩み始めたのです。

本を読み、知識を蓄えたあとは、思い切って外に飛び出しましょう。情熱を傾けられる、新たなものごとに出会えるはずです。

偉人たちの名言

何かを学ぶためには、自分で体験する以上に
いい方法はない。

［ アルベルト・アインシュタイン ］ ドイツの物理学者 | 1879-1955

我々が書斎の窓からのぞいたり、ほお杖《づえ》ついて考えたりするよりも、
人生というものは、もっと広い、深い、もっと複雑で、
そしてもっと融通のきくものである。

［ 石川啄木《たくぼく》 ］ 歌人・詩人 | 1886-1912

本を読め、人と会え、街を歩け。

［ 藤田田《でん》 ］ 日本マクドナルド創業者 | 1926-2004

幸福に
お金はかからない

Happiness does not cost anything.

67

幸福にお金はかからない

［ ハンナ・チャップリン ］ チャップリンの母 ｜ 1865-1928

コメディアン・映画プロデューサーとして成功を収め、「喜劇王」と称されるチャップリン。彼は作品の中で多くの人に希望を与えてきましたが、その前向きな姿勢は母親のハンナから学んだものでした。ハンナは女手一つで家計を背負っており、家は玩具《おもちゃ》を買う余裕もないほど貧乏でしたが、彼女はよく窓辺に何時間もたたずみ、通りを行く人たちの仕草を真似《まね》して子どもを楽しませていました。チャップリンは床を転げ回って大笑いし、また、この遊びを通じて手や顔で気持ちを表現する方法や、人の行動を注意深く観察することを覚えていったのです。のちにチャップリンはこう語っています。「ハンナがいなければ、自分は平凡な喜劇役者にしかなれなかっただろう」。

幸せになるために必要なのは、お金ではなく、目の前の環境に喜びを見出す力です。

偉人たちの名言

楽しみに金のかからない人が最も裕福である。

［ ヘンリー・デイヴィッド・ソロー ］ 米国の思想家・詩人 ｜ 1817-1862

金なんかなくたって、心が豊かで、誰にも迷惑をかけずに、
好きなことをやっていけたら、これが一番幸せな人生なんだろうな。

［ 本田宗一郎 ］ HONDA 創業者 ｜ 1906-1991

愛は家庭に住まうものなのです。子どもを愛し、家庭を愛していれば、
何も持っていなくても幸せになれるのです。

［ マザー・テレサ ］ インドの修道女 ｜ 1910-1997

明日がある。
明後日がある。

There is tomorrow. And there is the day after tomorrow.

68

明日がある。明後日がある。

［ アルベルト・シュバイツァー ］ ドイツの神学者・医者 ｜ 1875 - 1965

神学者として地位を築いていたシュバイツァーは、30歳のとき「実際に苦しんでいる人間を救うのは医学だ」と考え医師を志します。そして、8年間医学を学んだあと、最も医療を必要としている国、アフリカへ旅立ちました。彼の最初の病院は、ジャングルの中に自力で建てた小屋から始まったといいます。そこで多額の借金を重ねながら病院を運営しますが、やっと軌道に乗りかけたときに戦争が始まり、シュバイツァーは捕虜になりました。自国に戻り、執筆や講演をしながら資金を作って再びアフリカにやってきたとき、彼は49歳になっていました。そして、7年の留守の間に倒壊してしまった病院を、1年半かけて再建します。こうしてアフリカの人々を救い続けた彼は、70歳のときにノーベル平和賞を受賞しますが、その賞金で新たな病棟を建てたといいます。

目の前の現実がいかに苦しくても、明日、明後日の未来を見続けることで、素晴らしい世界を創り出すことができます。

偉人たちの名言

昨日から学び、今日を生き、明日へ期待しよう。
［ アルベルト・アインシュタイン ］ ドイツの物理学者 ｜ 1879–1955

寝床につくとき、翌朝起きることを
楽しみにしている人は幸福である。
［ カール・ヒルティ ］ スイスの法学者・哲学者 ｜ 1833–1909

私が(会社を創業して)14年間で得た哲学はひとつ。今日はつらい。
明日はもっとつらい。でも明後日には、素晴らしい一日が待っている。
［ ジャック・マー ］ 中国の実業家 ｜ 1964–

参考文献 ※順不同

『アイアコッカ：わが闘魂の経営』リー・アイアコッカ｜徳岡孝夫 訳｜新潮社

『アインシュタインの就職願書』木原武一｜新潮社

『ぼくの哲学』アンディ・ウォーホル｜落石八月月 訳｜新潮社

『ウォーレン・バフェット：お金の秘密を教えよう』桑原晃弥｜PHP 研究所

『カーネル・サンダース：65 歳から世界的企業を興した伝説の男』藤本隆一｜産能大学出版部

『黒澤明：人と芸術』山田和夫｜新日本出版社

『グレース・ケリー：プリンセスの素顔』ジェームズ・スパダ｜仙名紀 訳｜朝日新聞社

『チェ・ゲバラ：革命を生きる』ジャン・コルミエ｜太田昌国 監修｜松永りえ 訳｜創元社

『新 孔子に学ぶ人間学』戸来勉、河野としひさ｜明窓出版

『坂本龍馬のすべてがわかる本』風巻絃一｜三笠書房

『シャネル：スタイルと人生』ジャネット・ウォラク｜中野香織 訳｜文化出版局

『シュバイツァー』小牧治、泉谷周三郎｜清水書院

『スティーブ・ジョブズ 神の遺言』桑原晃弥｜経済界

『スタンダールの言葉』スタンダール｜小泉隆雄 訳編｜彌生書房

『「孫子の兵法」がよ～くわかる本』廣川州伸｜秀和システム

『チャップリン：伝記 世界を変えた人々 12』パム・ブラウン｜橘高弓枝 訳｜偕成社

『デール・カーネギー 上』スティーブン・ワッツ｜菅靖彦 訳｜河出書房新社

『D・カーネギー夫人のビジネスマンの妻が読む本』ドロシー・カーネギー｜櫻井秀勲 訳｜三笠書房

『徳川家に伝わる徳川四百年の内緒話』徳川宗英｜文藝春秋

『豊田佐吉（人物叢書）』楫西光速｜吉川弘文館

『水墨画名作展：ドラッカーコレクション』大阪市立美術館｜日本経済新聞社

『ピカソマイフレンド：フォトドキュメント』ロベルト・オテロ 写真・文｜谷口江里也、松永登喜子 訳｜小学館

『ヘミングウェイの流儀』今村楯夫、山口淳｜日本経済新聞出版社

『人間の達人：本田宗一郎』伊丹敬之｜PHP 研究所

『マリア・カラスという生きかた』アン・エドワーズ｜岸純信 訳｜音楽之友社

『ザ・モーツァルト：モーツァルトと優雅に遊ぶ本』読売新聞社

『モハメド・アリ：その生と時代』トマス・ハウザー｜小林勇次 訳｜東京書籍

『絵画の発見 7 ルノワール／セザンヌ』学習研究社

『ヴィヴァン：新装版・25 人の画家 第 9 巻 ルノワール』中山公男 編集｜講談社

『人を動かす［名言・逸話］大集成』鈴木健二、篠沢秀夫 監修｜講談社

『人を動かす 一日一話活用事典』講談社

『世界人物逸話大事典』朝倉治彦、三浦一郎 編｜角川書店

『世界伝記大事典 世界編 4』ほるぷ出版

『自助論：人生を最高に生きぬく知恵』サミュエル・スマイルズ｜竹内均 訳｜三笠書房

『「逆境に負けない人の条件」』アル・シーバート｜林田レジリ浩文 訳｜フォレスト出版

『天才たちの日課』メイソン・カリー｜金原瑞人、石田文子 訳｜フィルムアート社

『巨大な夢をかなえる方法：世界を変えた 12 人の卒業式スピーチ』佐藤智恵 訳｜文藝春秋

『思いやりのこころ』木村耕一 編著｜1 万年堂出版

『もう一度、読み直すと面白い世界の英雄・偉人伝』歴史の謎を探る会 編｜河出書房新社

『歴史人物・とっておきのウラ話：教科書が教えない「面白い話・珍しい話・ドジな話」』泉秀樹｜PHP 研究所

『日本史偉人「健康長寿法」』森本宗冬｜講談社

『続 大人のための偉人伝』木原武一｜新潮社

『あの偉人たちを育てた子供時代の習慣』木原武一｜PHP 研究所

『ホワイトハウスストーリーズ：アメリカ全大統領の逸話』ポール・F・ボラー Jr.｜吉野寿子 訳｜三省堂

『エピソード科学史 II』A・サトクリッフ、A・P・D・サトクリッフ｜市場泰男 訳｜社会思想社

『歌舞伎の歴史』今尾哲也｜岩波書店

『やさしくわかる数学のはなし 77』岡部恒治 監修｜学研教育出版

『世紀のヒロインだって悩んでる。』桑原恵美子｜ゴマブックス

『成功者に学ぶ時間術』夏川賀央｜成美堂出版

『心が折れそうなときキミを救う言葉』ひすいこたろう、柴田エリー｜ソフトバンククリエイティブ

『絶対に成功を呼ぶ 25 の法則：あなたは必ず望む人生を手に入れる』ジャック・キャンフィールド｜植山周一郎 訳｜小学館

『人生が変わる習慣』アンソニー・バーグランド｜弓場隆 訳｜ディスカヴァー・トゥエンティワン

『朝日ジャーナル』1980.10.24

『世界名言大辞典』梶原健 編著｜明治書院

『世界名言・格言辞典』モーリス・マルー編｜島津智 訳｜東京堂出版

『世界名言集』岩波文庫編集部 編｜岩波書店

『成語林 別冊 世界の名言・名句』旺文社

『D・カーネギー名言集』神島康 訳｜創元社

『愛蔵版 座右の銘』「座右の銘」研究会 編｜メトロポリタンプレス

参考ウェブサイト

名言ナビ　http://www.meigennavi.net/

名言 DB　http://systemincome.com/

癒しツアー 偉人の名言・格言　http://iyashitour.com/meigen/greatman

写真提供

gettyimages……… 2, 5, 8, 12, 13, 17, 21, 23, 25, 26, 27, 30, 33, 35
37, 38, 44, 52, 55, 56, 60, 61, 64, 65

shutterstock……… 7, 19, 22, 28, 32, 34, 40, 43, 46, 47, 51, 54, 57, 58

123RF……… 3, 6, 16, 29, 39, 48, 50, 53, 59, 66, 68

iStockphoto……… 1, 14, 15, 41, 45, 63

Alamy……… 18, 20, 31, 36, 62

PIXTA……… 9, 24, 49, 67

fotolia……… 4, 10

amanaimages……… 42

AFLO……… 11

水野敬也　みずの けいや

愛知県生まれ。慶応義塾大学経済学部卒。著書に『夢をかなえるゾウ3　ブラックガネーシャの教え』『人生はZOOっと楽しい！』『ウケる技術』『四つ話のクローバー』『雨の日も、晴れ男』『大金星』ほか、作画・鉄拳の作品に『それでも僕は夢を見る』『あなたの物語』がある。恋愛体育教師・水野愛也としての著書に『LOVE理論』『スパルタ婚活塾』、講演DVD『スパルタ恋愛塾』、また、DVD作品『温厚な上司の怒らせ方』の企画・脚本や、映画『イン・ザ・ヒーロー』の脚本を手掛けるなど活動は多岐にわたる。

公式ブログ「ウケる日記」 http://ameblo.jp/mizunokeiya/
Twitter アカウント　@mizunokeiya

長沼直樹　ながぬま なおき

日本大学芸術学部卒。著書にシリーズ累計170万部を突破した『人生はワンチャンス！』『人生はニャンとかなる！』『人生はZOOっと楽しい！』（文響社、共著）がある。

公式ブログ「n_naganumaの日記」 http://d.hatena.ne.jp/n_naganuma/
Twitter アカウント　@n_naganuma

人生はもっとニャンとかなる！　明日にもっと幸福をまねく68の方法

2015年10月 1日　第1刷発行
2024年 3月 7日　第5刷発行

著者	水野敬也　長沼直樹
協力	坪井卓　水越悠美子　渋澤怜　松尾実希子　Ji Soo Chun　Kevin Newman　Yale Sheen　伊藤源二郎　植谷聖也　大場君人　大橋弘祐　下松幸樹　菅原実優　須藤裕亮　竹岡義樹　谷綾子　芳賀愛　林田玲奈　樋口裕二　古川愛　前川智子
装丁	寄藤文平　北谷彩夏
イラスト	北谷彩夏
発行者	山本周嗣
発行所	株式会社 文響社 〒105-0001　東京都港区虎ノ門2-2-5　共同通信会館9F ホームページ　http://bunkyosha.com
印刷・製本	日本ハイコム株式会社

ISBN コード　978-4-905073-21-5　Printed in Japan
この本に関するご意見・ご感想をお寄せ頂く場合は、郵送またはメール（info@bunkyosha.com）にてお送りください。